I AM PRIN

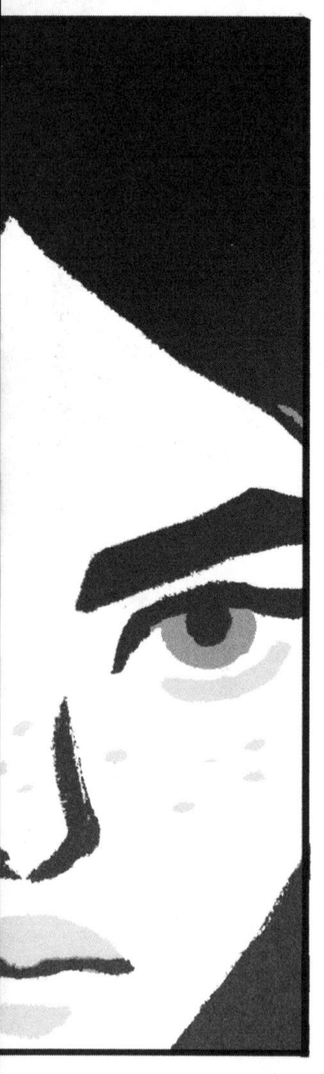

CHERIE PRIEST ILLUSTRÉ PAR KALI CIESEMIER

CESS X

TRADUIT DE L'ANGLAIS (ÉTATS-UNIS) PAR VANESSA RUBIO-BARREAU

BAYARD

Ouvrage publié originellement par Arthur A. Levine Books, un département de Scholastic Inc.,
sous le titre *I am Princess X*

Publié avec l'autorisation de Scholastic Inc.,
557 Broadway, New York, NY 10012, USA.

18, rue Barbès, 92120 Montrouge Cedex
ISBN : 978-2-7470-5895-7
Dépôt légal : avril 2017
Imprimé en Italie

Loi n° 49-956 du 16 juillet 1949 sur les publications destinées à la jeunesse.

À LUKE ET CLAUDIA. PARCE QUE...

UN

Libby Deaton et May Harper inventèrent le personnage de Princess X en CM2. À l'époque, Libby avait la jambe dans le plâtre et May, une dispense du médecin certifiant qu'elle ne devait plus courir, ou son asthme risquait de la tuer.

Leur prof de sport les avait donc exilées dans la cour de récréation des maternelles, où la maîtresse chargée de la surveillance était tranquillement assise à l'ombre, plongée dans un roman à l'eau de rose avec un homme presque nu sur la couverture. Cachés derrière les balançoires, une bande de gamins de six ans, inquiets, fixaient les nouvelles arrivantes avec des yeux ronds, sans mot dire, prêts à détaler. Car, pour autant qu'ils sachent, les grands de primaire étaient capables de tout.

Pourtant, Libby et May s'adossèrent simplement au mur de briques, les jambes étendues sur le goudron. Elles n'avaient rien à faire. Nulle part où aller. Personne d'autre à qui parler, alors qu'elles n'étaient ni copines ni rien. Libby avait récemment changé d'école parce que ses parents avaient acheté une nouvelle maison et May venait de quitter Atlanta pour Seattle[1]. Elles se connaissaient à peine.

Cependant l'ennui les avait réunies.

---

1. Atlanta se situe dans le sud-est des États-Unis, en Géorgie, tandis que Seattle est tout à fait à l'autre bout du pays, au nord-ouest, dans l'État de Washington (à ne pas confondre avec la ville de Washington). Toutes les notes sont de la traductrice.

La cour était jonchée de morceaux de craie ayant déjà bien servi. May donna un coup de pied dans un petit bout abandonné là par un Picasso en herbe, puis l'écrasa sous le talon de sa chaussure. Le sol se teinta instantanément d'un beau rouge cerise, comme si le goudron saignait. Elle se pencha vers une craie bleue, prête à la réduire en poussière aussi, mais Libby s'approcha à quatre pattes, traînant derrière elle sa jambe alourdie par le plâtre.

– Attends... C'est cool, ça...

Elle ramassa quelques bâtonnets aux couleurs de bonbons et les aligna de façon à former une sorte d'arc-en-ciel. Une fois satisfaite du résultat, elle appela les petits :

– Hé, ça vous tente de me voir dessiner ?

Les enfants se consultèrent du regard, hésitants.

– Allez, insista Libby, dites-moi ce que vous voulez. Je me débrouille pas mal, vous savez.

Intriguée, May se pencha en avant. Elle ne savait même pas faire un bonhomme, mais elle aimait bien regarder les autres exercer leur talent.

Peu à peu, les maternelles sortirent de leur cachette. Une gamine plus culottée que les autres lança :

– Dessine un chien !

Libby obéit, faisant apparaître sur le goudron un chien vert au collier jaune et aux grands yeux bleus. La fillette rajusta ses lunettes et se hissa sur la pointe des pieds, plissant les yeux pour avoir une meilleure vue d'ensemble. Elle hocha alors la tête en regardant ses camarades.

– Il est bien, son chien, déclara-t-elle.

En cinq secondes chrono, une horde de lutins exigeants s'abattit sur Libby et May, avec chacun une requête particulière.

– Dessine un chat !

– Un bateau !

– Un cheval !

– Fais une maison hantée ! ordonna un gamin tout bouclé aux lacets défaits.

Libby sourit.

– Une maison hantée… ouais, ça me plaît bien, ça. May, tu peux me passer du violet, s'il te plaît ?

May eut un instant d'hésitation : elle n'avait rien contre le fait de passer le violet, mais elle était un peu surprise. C'était la première fois que quelqu'un prononçait son prénom dans cette école, en dehors des professeurs.

– Ouais, bien sûr, répondit-elle finalement en s'efforçant de masquer son accent du Sud.

Elle tendit la craie et regarda Libby dessiner un décor digne d'un film d'horreur – sauf qu'il était plus mignon qu'effrayant. La maison avait l'air tout droit sortie d'un dessin animé et, derrière les carreaux cassés, tous les fantômes souriaient.

Un garçon coiffé d'une casquette de baseball s'approcha du dessin et le contempla d'un œil critique avant de décréter :

– Maintenant, il faut que tu fasses la princesse qui habite dedans !

– Une princesse qui vit dans une maison hantée ?… OK !

Libby ramassa des morceaux de craie jaune, rose et rouge. Bientôt, une silhouette se dessina – une fille aux cheveux bleus, vêtue d'une robe à manches ballons, avec une couronne dorée sur la tête… et des baskets rouges aux pieds.

May était fascinée. Elle n'avait jamais vu quelqu'un dessiner aussi bien – tout du moins pas depuis le gars qui avait fait sa caricature dans un parc d'attractions. Quand Libby eut terminé, le petit garçon à la casquette de baseball déclara que la princesse était géniale, et tout le monde fut d'accord. Surtout May.

Mais alors il ajouta :

– Attends, c'est pas fini. Tu as oublié sa baguette. Il faut que tu lui fasses une baguette magique.

May secoua la tête.

– Nan, Libby ! s'écria-t-elle, sans se soucier de son accent pour une fois. Pas de baguette. C'est trop banal. Il lui faut un accessoire plus cool.

– Un truc cool... d'accord... Tu as une idée ?

– Oh ! Je sais ! Une épée !

– Une épée, ça marche.

Libby prit la craie violette et la frotta contre le goudron.

– Une épée, c'est délicat à dessiner... Voilà !

Elle posa la craie par terre et s'essuya les mains sur son pantalon.

– Alors ?

– Elle est bizarre, son épée, non ? fit May, qui avait complètement oublié la présence des petits de maternelle.

– C'est une épée de ninja, une katana. Les meilleures au monde.

– Ah, d'accord ! fit May comme si elle était experte en la matière. Avec ça, tu peux faire un malheur.

– Bon, maintenant, il faut lui donner un nom.

Libby leva les yeux.

– May ? Tu as une idée ?

May se creusa la tête. Il fallait bien répondre, une amitié était en jeu, elle ne voulait pas rater son coup.

– Si elle a une épée, c'est qu'elle est en mission. C'est peut-être une espionne, ou une guerrière... ou, comme tu l'as dit, ça pourrait être une ninja. Alors il lui faudrait un nom de code. Un truc pas trop compliqué. Facile à retenir et qui sonne bien.

– On pourrait l'appeler... Princess X.

– Pourquoi X ?

– Parce que le X est la lettre la plus cool et la plus mystérieuse.

Elle espérait que c'était vrai, que ça faisait bien cool et pas bébé.

Libby réfléchit, puis acquiesça.

– OK, ça marche.

May laissa échapper un soupir et sourit.

– Je suis contente que ça te plaise.

– Ça me plaît beaucoup, confirma Libby en ajoutant la touche finale.

De petits traits pour faire scintiller la couronne. Le logo sur ses Converse.

– Ça sonne super bien. Et voilà... je vous présente Princess X !

C'EST MOI, PRINCESS X.

VOICI MA MAISON.
ELLE EST HANTÉE,
MAIS JE L'AIME QUAND
MÊME.

LES FANTÔMES
SONT TRÈS GENTILS.

NOUS SOMMES
TOUS AMIS.

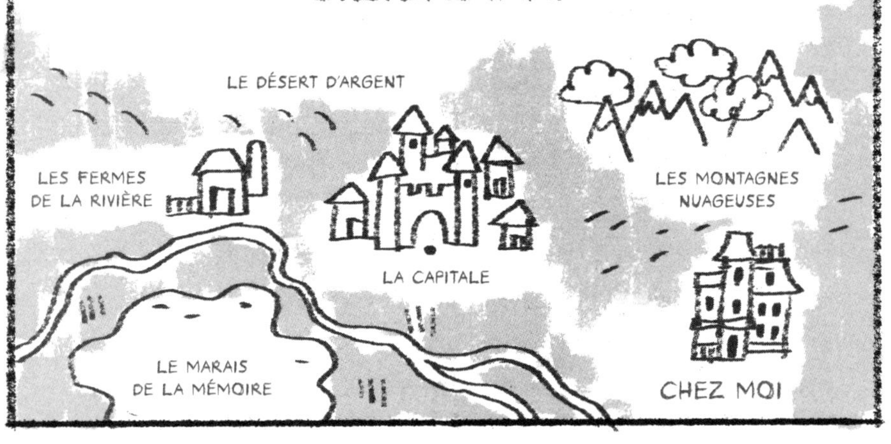
JE RÈGNE SUR LE ROYAUME DE
SILVERSTAR.
LE DÉSERT D'ARGENT
LES FERMES
DE LA RIVIÈRE
LES MONTAGNES
NUAGEUSES
LA CAPITALE
LE MARAIS
DE LA MÉMOIRE
CHEZ MOI

MES PARENTS
NE SONT PAS MORTS.

ILS SONT JUSTE À LA RETRAITE

C'EST BEAUCOUP DE BOULOT
D'ÊTRE UNE PRINCESSE,
MAIS C'EST SUPER FUN.

Libby et May n'abandonnèrent pas Princess X sur le goudron de la cour. Elles l'emmenèrent chez elles et, ensemble, lui bâtirent un empire imaginaire. Sa maison hantée se dressait au sommet d'une colline, entourée par une clôture métallique impénétrable, aussi épaisse que ces haies dont on fait les labyrinthes. Elle luttait contre les monstres, les fantômes et tous les autres envahisseurs indésirables qu'elle croisait.

May écrivait beaucoup, Libby dessinait beaucoup et, arrivées en troisième, elles avaient créé une bibliothèque complète des aventures de Princess X. Ses aventures, consignées sur d'épais cahiers ou de gros carnets à spirale, s'entassaient dans des boîtes à chaussures, des caisses, des sacs en plastique. La collection était stockée chez Libby. Son père était ingénieur chez Microsoft. Ils vivaient dans une maison, dans le « quartier des millionnaires », si bien qu'elle avait une chambre immense, avec un vaste dressing où elle entreposait tout ça.

Avec ses parents, May habitait un petit appartement dans un vieil immeuble, et son lit occupait tout l'espace de sa chambre. Elle était la plus petite de la classe, toujours mal habillée, avec des cheveux châtains raides et de grosses lunettes qu'elle détestait. Quand on se moquait d'elle, elle répliquait que ses verres étaient si puissants qu'ils lui permettaient de voir l'avenir – et elle conserva ce pouvoir même après être passée aux lentilles de contact.

À l'inverse, à douze ans, Libby semblait tout droit sortie d'un magazine. Elle avait les derniers jeans à la mode et des boucles d'oreille pendantes. Elle était trop cool, si cool que, quand elle racontait que sa grand-mère était une ninja, tout le monde la croyait. Sauf que sa mère, d'origine japonaise, affirmait qu'il n'y avait plus aucun ninja au Japon depuis longtemps. Et que si sa grand-mère ne venait jamais leur rendre visite, c'était à cause de son père, parce qu'il n'était pas japonais. Il était né ailleurs, dans un pays de Blancs, et Libby ne pouvait rien y changer.

Elle se contentait donc de dessiner des ninjas, en attendant d'un rencontrer un vrai.

Ni May ni Libby ne s'étaient fait d'autres amis, car elles n'en avaient pas besoin. Elles jouaient beaucoup aux jeux vidéo, elles lisaient beaucoup de BD, elles regardaient beaucoup la télé en grignotant n'importe quoi. Elles avaient escaladé la statue de troll de Fremont[1], fait des selfies sous les néons représentant des danseurs, des fusées ou des nageuses en bonnets de bain de vieille dame. Elles faisaient les devoirs l'une de l'autre et, la nuit, sous la couette, elles lisaient des livres cochons à la lampe de poche, en gloussant comme des oies – jusqu'au jour où elles se firent prendre. Elles dépensaient leur argent de poche en magazines et en chocolat chaud dans leur café préféré – le Black Tazza – en prétendant que c'était du café pour faire comme des grandes. Mais, malgré toutes leurs activités, elles trouvaient toujours du temps pour Princess X. Elles apportaient leurs carnets au café et étalaient leurs notes sur la table, elles créaient des fiches personnages pour tous les garçons qui leur plaisaient – les mignons, les *bad boys* et les autres. Princess X était devenue leur avatar, leur meilleure amie, la troisième fille du groupe.

1. Gigantesque sculpture représentant un troll sortant de terre, située sous un pont de Seattle.

Un jour, sur le trottoir devant le centre commercial, Libby fut prise à partie par un gars qui brandissait un panneau listant tout ce qui n'allait pas dans cette Amérique diabolique. Il était très contrarié que n'importe qui épouse n'importe qui, craignant que, bientôt, il n'y ait plus de Blancs, de Noirs, de Jaunes ou de Rouges et que tout le monde soit gris !

May le traita d'imbécile et répliqua :

– D'abord, c'est très joli, le gris, surtout ici à Seattle, c'est notre couleur locale[1] !

– Ouais, mec, renchérit Libby en se forçant à sourire, c'est génial, le gris. Regarde-moi, je suis grise et trop cool.

Quelques semaines plus tard, alors qu'elles devaient remplir un formulaire au collège, à une question sur l'origine ethnique de l'élève, Libby cocha la case « autres » et spécifia « grise » sur la ligne à côté.

Le professeur lui redonna un formulaire et lui fit tout recommencer en expliquant que, quand elle serait grande, elle pourrait s'inventer la vie qu'elle voudrait, mais que, pour le moment, elle devait cocher l'une des cases proposées, même si c'était inexact.

Sauf que, bien sûr, Libby ne devint jamais grande. À la place, elle termina sa vie au fond de Salmon Bay.

Enfin, soi-disant.

Mme Deaton s'était endormie au volant en ramenant Libby de son cours de gymnastique. La voiture avait quitté la route et était tombée du haut du pont de Ballard.

---

1. Référence à la couleur du ciel… à Seattle, le ciel est gris environ 220 jours par an !

Les équipes de secours mirent deux jours à la retrouver. Quand ils remontèrent le véhicule, le corps de Mme Deaton était maintenu à la place du conducteur par la ceinture de sécurité, mais Libby, elle, avait disparu. Son sac à dos gisait à terre, du côté passager, et sa vitre était brisée.

Pendant des années, May rêva que Libby s'échappait – qu'elle réussissait à sortir de la voiture qui coulait, qu'elle remontait à travers les eaux noires comme la nuit et glacées comme une canette qui sort du frigo. Les lumières de la ville scintillant au-dessus d'elle telles des étoiles l'appelaient... la guidaient jusqu'à la surface... Elle émergeait au milieu de la baie, ses cheveux trempés tombant en cascade sur les épaules façon sirène, flottant derrière elle alors qu'elle nageait vers le rivage.

Et soudain May se réveillait trempée de sueur et de larmes parce que tout cela n'était qu'un rêve.

Voici ce qui s'était réellement passé : on avait retrouvé le corps de Libby des semaines plus tard – il dérivait, cognant mollement contre la coque d'un voilier dans une marina, non loin de là. Bouffie, boursouflée, défigurée par les créatures marines, elle était méconnaissable. C'étaient ses vêtements et sa carte de cantine trempée dans la poche arrière de son jean qui avaient permis de l'identifier.

Si seulement on l'avait laissée voir le cadavre de Libby, peut-être May aurait-elle arrêté de faire ce rêve. Elle n'aurait sans doute pas repris ses vieilles lunettes pour les porter la nuit dans son lit, priant pour qu'elles lui donnent le pouvoir de voir, mieux que l'avenir, le passé. Si seulement elle avait pu apercevoir ce qu'il restait de son amie, son esprit n'aurait peut-être pas ressassé ce fol espoir que Libby se soit échappée, nuit après nuit, année après année.

Parfois, il s'écoulait quelques mois sans qu'elle fasse ce rêve, puis il revenait et la laissait toute tremblante, sous le choc, persuadée qu'elle avait vu Libby et qu'elle était en vie, qu'elle avait nagé jusqu'à la surface, la vie, la liberté. Nagé jusqu'à May, et failli attraper sa main tendue.

Puis qu'elle avait à nouveau sombré au fond de Salmon Bay, parce que May ne portait plus de lunettes et que rêves et prédictions n'étaient que des fantasmes qui ne se réalisaient jamais.

* * *

Il y eut des funérailles – cercueil fermé, quelle surprise. May essaya de l'entrouvrir quand tout le monde avait le dos tourné, mais il était bien cloué. Peut-être les gens la connaissaient-ils mieux qu'elle ne le pensait, finalement.

On enterra Libby aux côtés de sa mère dans un cimetière de lointaine banlieue, si bien que May ne pouvait pas lui rendre visite très souvent.

La dernière fois que May s'agenouilla devant la tombe, elle savait qu'elle ne pourrait pas revenir avant longtemps, peut-être même jamais. Pendant que ses parents se chamaillaient derrière un bosquet d'arbres, May chuchota à son amie :

– Mes parents vont sûrement divorcer.

Ça lui faisait bizarre de le dire tout haut, car même eux n'avaient pas encore osé prononcer ces mots. Mais peu importe. Elle le voyait venir gros comme une maison. Elle s'assit en tailleur à côté de la tombe, encore fraîche et bosselée, avec juste quelques brins d'herbe clairsemés sur le dessus. Elle tira sur les jeunes pousses vertes et les arracha une à une pour les laisser retomber en tas.

– S'ils divorcent... enfin, quand ils vont divorcer, je vais sûrement devoir retourner à Atlanta avec ma mère.

Elle murmurait, un souffle à peine, de peur de fondre en larmes si elle parlait plus fort.

– Je serai obligée de changer de lycée, et ça, ça va être l'horreur. Je ne supporterai pas de devoir partager mon casier avec quelqu'un d'autre...

Elle avala sa salive.

– Notre casier... il est exactement comme tu l'avais laissé. Ton père n'a jamais réclamé tes affaires, alors j'ai tout gardé en l'état. J'espère que tu ne m'en veux pas.

Son manuel de SVT, avec toutes ses notes dedans. Ses affaires de sport dans un sac en coton où ses baskets faisaient une grosse bosse. Sa bouteille d'eau. Son iPod.

– Quand les cours seront finis, je rapporterai tout à la maison. C'est pas du vol, hein ?

Elle émit un petit rire qui menaça de se changer en sanglot.

– Je ne laisserai personne jeter quoi que ce soit. J'aurais aimé pouvoir tout laisser en place, et mettre une plaque, comme un mémorial, un truc comme ça...

Les voix de ses parents se rapprochèrent. Ils ne se disputaient plus, ils discutaient simplement, et revenaient vers May. Ça l'agaçait, mais d'un autre côté ça l'arrangeait un peu. Comme ça, elle n'avait pas le temps d'avouer à Libby qu'elle avait perdu Princess X.

Elle ne se sentait pas capable de l'avouer à quiconque, pas même à un fantôme. Elle avait déjà trop de mal à l'accepter.

En réalité, une semaine après l'enterrement, sa mère l'avait conduite chez les Deaton une dernière fois – sauf que M. Deaton n'était pas là. Il n'y avait personne, à part la femme de ménage, Anna, qui essuyait un plan de travail désertique et chassait des corn flakes préhistoriques de derrière le frigo à coups de balai.

Car la maison était vide. Plus le moindre meuble. Même plus de rideaux.

May avait foncé dans la chambre de Libby et ouvert le placard où elle conservait les histoires de Princess X.

– Désolée, ma chérie, lui avait dit la femme de ménage en la rejoignant. Désolée... mais il n'y a plus rien.

M. Deaton avait démissionné, fait ses valises, et il était reparti dans le Michigan, où il avait grandi. Il avait chargé une entreprise de vider la maison après son départ et de tout donner à Emmaüs. Puis il avait confié les clés à Anna en lui demandant de nettoyer avant l'arrivée de l'agent immobilier. Il ne reviendrait pas.

Et Princess X non plus.

Paniquée, May avait obligé sa mère à faire le tour des friperies du comté. Ses parents s'étaient relayés pour l'accompagner en voiture, évitant ainsi de passer du temps ensemble. Ils préféraient encore supporter les crises de leur fille que de devoir se retrouver face à face au dîner.

May ne revit jamais les cartons qui contenaient les aventures de Princess X, les BD, les collages avec tout ce que leur héroïne aurait aimé porter et les pays où elle aurait aimé voyager. Les choses ne s'arrangèrent pas entre ses parents. Ils continuèrent à se disputer et se séparèrent quelques mois plus tard. Son père resta à Seattle. Et May retourna vivre à Atlanta avec sa mère, ne revenant dans la région que l'été et la moitié des vacances. Son accent du Sud réapparut donc. Elle menait une vie solitaire et glacée.

Libby était morte. Princess X avait disparu.

Et c'était comme si May avait à nouveau perdu sa meilleure amie. Encore et encore et encore.

DEUX

Trois ans s'écoulèrent.

Jusqu'à l'autocollant.

May l'aperçut sur Broadway, collé dans la vitrine d'une boutique qui allait être démolie sous peu. Elle était déjà vide – déserte et nue. Il ne restait plus à l'intérieur que des moutons de poussière et des araignées. Elle se trouvait sur le tracé de la nouvelle ligne de tramway de Capitol Hill.

Chaque année, quand May revenait pour l'été, la ville s'était transformée. Parfois, c'était un magasin ou un café qui avait fermé – le Black Tazza, par exemple, avait mis la clé sous la porte au printemps dernier. Parfois, c'était un quartier entier qui changeait de visage – comme tout ce pâté de maisons, qui aurait disparu la semaine prochaine.

Cet été, en août, May allait avoir dix-sept ans, alors tout allait vraiment beaucoup changer. Du moins, c'est ce qu'elle s'imaginait. Enfin, c'est ce que les gens disaient...

Pourtant c'est ce premier jour de juin qu'elle vit l'autocollant dans le coin droit de la vitrine qui attendait d'être démolie.

Elle revenait du quartier de l'université, où elle s'était posée dans un parc avec son carnet – pour jeter les grandes lignes d'un roman dont elle n'avait encore parlé à personne –, en attendant que son père remarque qu'elle avait disparu. Il travaillait énormément, parfois de chez lui, au lieu de se rendre au bureau. Cependant, même lorsqu'il était à la maison, il mettait parfois plusieurs heures à lever la tête de son ordinateur pour s'apercevoir qu'elle n'était plus là. Ils s'entendaient plutôt bien, sûrement parce qu'ils ne passaient pas beaucoup de temps ensemble. May se disait qu'elle lui rappelait peut-être sa mère et s'efforçait de ne pas le prendre trop mal.

Enfin... elle avait une clé de l'appartement, elle allait et venait comme elle voulait, passant ses journées entre boutiques d'occasions, salons de thé et cafés, où elle prenait toujours un chocolat chaud plutôt qu'un expresso. Parfois, sa gorge se serrait encore au souvenir de Libby, mais elle ne voulait pas le chasser. De toute façon, son esprit hantait toute la ville.

Ce fameux autocollant dans la vitrine de la dernière boutique au bout de la rue n'aurait pas dû attirer son attention. Il était en plastique bon marché, et commençait à se décoller sur les bords. Ses couleurs étaient un peu fanées. Il était rond, cerclé de noir.

Sauf qu'à l'intérieur se trouvait une fille aux cheveux bleus, avec une robe rose à manches ballons, une couronne dorée sur la tête, et des Converse rouges aux pieds. Dans sa main gauche, elle tenait une épée violette, qui avait tout l'air d'une katana.

May se figea, les yeux rivés sur l'autocollant, comme si plus rien d'autre n'existait. Elle essaya de ravaler la boule qu'elle avait dans la gorge, mais elle resta coincée, comme un gros chewing-gum. Elle toussa, ce qui fut plus efficace, sauf que maintenant elle pleurait. En silence. Aucun son ne sortait de sa bouche.

C'était impossible.

Elle tendit néanmoins la main pour effleurer l'autocollant, s'assurer qu'il était bien réel. Parce que ça ne se pouvait pas, hein ? Elle glissa un ongle sous le bord qui se soulevait, s'efforçant de le détacher en un seul morceau, mais il se déchira. La moitié inférieure lui resta dans la main. L'ourlet d'une robe rose. Des baskets rouge pompier. Une main tenant une épée. Si, c'était bien Princess X.

Le reste de l'autocollant refusa de se décoller. May sortit donc son téléphone pour le prendre en photo.

Elle continuait à fixer ce ridicule autocollant comme s'il allait prendre vie et lui dire que tout ça n'était jamais arrivé. Ni le pont. Ni l'accident. Ni l'eau. Ni le cercueil fermé et la maison vide, avec une chambre vide et un placard vide... tout ce vide en lieu et place de la collection d'albums de Princess X.

Peut-être que rien de tout cela n'avait eu lieu.

Tout du moins pas le plus grave.

Peut-être que Libby était en vie.

Son portable se mit à vibrer. C'était son père. Elle ne répondit pas parce qu'elle se doutait que sa voix trahirait son émotion, et qu'il voudrait savoir pourquoi. Elle rangea donc le téléphone et rentra lentement à la maison, l'esprit bourdonnant de questions.

D'où venait cet autocollant ? Quelqu'un avait-il trouvé leurs vieux carnets au fin fond d'une boutique d'occasions ? Un élève du lycée avait-il décidé de reprendre le flambeau ? Ou bien était-ce juste une improbable coïncidence ?

Non. Elle n'y croyait pas une seule seconde. Elle ne savait pas d'où venait cet autocollant, mais ça avait forcément un rapport...

– Ah, te voilà, fit son père en la voyant arriver.

– Me voilà, répéta-t-elle.

– Je t'ai appelée.

– Désolée, répondit-elle sans pour autant fournir d'explication. Tu veux aller déjeuner ?

Ses épaules se détendirent un peu, il reprit son attitude habituelle.

– Bonne idée. Qu'est-ce qui te tenterait ?

– Mexicain, fit-elle d'un ton assuré.

Comme ça, si elle pleurait, elle pourrait toujours mettre ses larmes sur le compte du piment.

Ils se rendirent donc au coin de la rue, dans un petit resto où les propriétaires les connaissaient, et s'installèrent à leur table préférée. Ils commandèrent le même menu que d'habitude et parlèrent de choses et d'autres en attendant leurs plats.

Une fois servi, son père la questionna.

– Ça va, lui assura-t-elle, la bouche pleine de haricots, sans oser soutenir son regard.

– Je ne t'ai pas demandé si ça allait. Je t'ai demandé ce qui se passait. Tu es... bizarre. Et tu as utilisé toutes les serviettes en papier du distributeur pour te moucher le nez.

Elle envisagea un instant de mentir. Son père aurait été satisfait qu'elle lui donne une réponse mineure, un petit truc sans importance qui ne le perturbe pas trop. Mais May ne savait pas mentir, et puis elle préférait lui dire la vérité. Si ça le perturbait, tant mieux, parce que ça la perturbait aussi.

– Eh bien... si tu tiens vraiment à le savoir..., commença-t-elle lentement. C'est au sujet de Libby.

Il marqua un temps d'arrêt avant de répondre.

– Libby quoi ?

May éclata de rire sans bien savoir pourquoi. Ça faisait un peu mal.

-Tu te souviens du personnage qu'on avait inventé ? Princess X ?

-Je ne vois pas comment j'aurais pu l'oublier. Tu nous as fait fouiller la ville entière, ta mère et moi, à la recherche de ces cartons.

-Bah oui, c'était important. Je voulais tellement les récupérer...

Un silence gêné s'installa. Puis, fixant son assiette, il murmura :

-Désolé.

-Ce n'est pas ta faute si on ne les a pas retrouvés, s'empressa de dire May.

-C'est la faute de personne. Mais, tu sais, après votre départ, à ta mère et toi, j'ai continué à aller jeter un coup d'œil dans les brocantes, chez les bouquinistes quand j'en croisais. Au cas où.

-C'est vrai ?

Elle était surprise, touchée même, mais il n'était pas question qu'elle le lui avoue.

Il sourit.

-Tu m'avais refilé ta manie.

Il prit une grosse bouchée de burrito.

-Mais tu ne les as jamais retrouvés, sinon tu m'aurais prévenue.

C'était une affirmation plus qu'une question.

-Alors reconnais que ce serait vraiment bizarre si Princess X réapparaissait maintenant, non ?

Il arrêta de mastiquer. Avala. Prit la dernière serviette sur la table et s'essuya la bouche sans quitter May des yeux.

-Réapparaissait... où ?

– Dans la vitrine d'un magasin, sur Broadway. Il y avait un autocollant.

– J'imagine que tu l'as pris en photo. Montre-moi, dit-il en agitant sa fourchette.

Elle repêcha son portable au fond de son sac, puis afficha l'image, les mains tremblantes.

– Tiens, fit-elle en le lui tendant.

Son père scruta le petit écran, les yeux plissés.

– Il ne reste que la moitié de l'autocollant, remarqua-t-il.

– Je sais, j'ai voulu le décoller, mais il s'est déchiré. Voilà l'autre moitié.

Malgré tous ses efforts, l'autocollant s'était enroulé sur lui-même en une sorte de cigarette poisseuse. Elle le déroula et le lissa du plat de la main. Il se colla à la nappe, mais s'enroula à nouveau dès qu'elle eut ôté sa main.

Son père tint le portable à côté de l'autocollant pour reconstituer mentalement l'image entière.

Il pencha la tête vers la gauche, puis vers la droite, avant de déclarer :

– Mm, c'est bizarre.

– Bizarre ? C'est *impossible*, oui.

– Je ne serais pas aussi catégorique. Nous n'avons pas récupéré les cartons, mais ça ne veut pas dire que quelqu'un d'autre n'a pas eu plus de chance. Un gamin aura trouvé ça cool et les aura emportés chez lui...

May s'avachit un peu plus sur la banquette. Dans son assiette, les restes avaient refroidi.

– J'en doute.

– Non, tu n'en doutes pas. Tu ne veux pas y croire, ce n'est pas la même chose, affirma son père.

Les larmes lui montèrent aux yeux. Au prix d'un terrible effort, elle réussit à peu près à les ravaler.

– Ah oui ?

Il soupira.

– Je sais que tu aimerais croire que Libby est encore quelque part, en vie, en train de dessiner Princess X. Mais, quelle que soit la provenance de cet autocollant, ça ne vient pas d'elle. Désolé. Vraiment.

Elle aurait voulu se mettre en colère après lui... mais, honnêtement, ça aurait pu être pire. Elle aurait pu essayer de tout expliquer à sa mère, et, là, ça aurait été terrible. Sa mère lui aurait ri au nez en affirmant qu'elle se trompait, que cet autocollant n'avait rien à voir avec Princess X. Et elle serait retournée à sa partie de Scrabble en ligne, et May aurait été tellement furieuse qu'elle aurait piqué une crise, et qu'elles se seraient disputées. May lui en aurait voulu de mentir sur un truc aussi évident, de ne même pas s'intéresser à ce qu'elle lui racontait.

Au moins, son père ne l'avait pas traitée d'idiote. Il ne la comprenait pas toujours, mais il l'écoutait. Il prenait tout au sérieux, ce qui parfois était très bien.

Seulement, à cet instant, May aurait voulu vivre un conte de fées, et, franchement, il n'était pas l'interlocuteur idéal.

Ils en restèrent donc là. Et, une fois rentrés à la maison, ils regardèrent une série sur Netflix. Épisode après épisode, jusqu'à ce que son père décrète qu'il était l'heure d'aller se coucher et éteigne la télé.

C'était sa manière de changer de sujet : avec une télécommande.

TROIS

Au cours des jours suivants, May vit la princesse partout. Celle de la vitrine était la première de toute une série. Une princesse collée sur un panneau STOP. Une sur le côté d'une boîte à lettres. Une tout usée sur un passage clouté, qui était visiblement là depuis longtemps. Une sur un bus. Elle nota également les graffitis – quelqu'un en ville se servait beaucoup de son pochoir Princess X. Au Pike Place Market, à côté du gros cochon en cuivre, face au stand où les vendeurs lancent les poissons aux clients qui doivent les rattraper au vol – celui qui figure sur toutes les cartes postales de la ville. Non loin du plus grand Starbucks du monde, encore plus animé et bondé que les autres.

La quête de Princess X devint une véritable chasse au trésor. Chaque fois qu'elle l'apercevait, May la prenait en photo et demandait aux gens des environs – les commerçants, les vendeurs ambulants, tous ceux qui pouvaient traîner dans le quartier – s'ils savaient ce que ça signifiait ou s'ils avaient vu qui avait collé cet autocollant là.

La réponse était toujours « non », « non », « non ».

May arpentait les rues avec ses lunettes noires sur le nez et ses écouteurs dans les oreilles, même quand il n'y avait pas le moindre rayon de soleil, ni le moindre morceau de musique sur son iPod – juste pour éviter qu'on lui adresse la parole et pouvoir se consacrer pleinement à ses recherches. Elle parcourait la ville telle une espionne, tous les sens en éveil, sans se faire remarquer. Elle avait toujours eu un don pour se rendre invisible, surtout quand elle était avec Libby. Car tout le monde n'avait d'yeux que pour son amie.

Elle surveillait les graffeurs et les artistes underground, guettant ceux qui semblaient du genre à coller des stickers dans les lieux publics. Elle scrutait les skateurs, les emos, les fans de cosplay, les étudiants aux arrêts de bus et les écoliers avec leurs cartables.

Sans le vouloir, en fait, elle cherchait Libby. Supposant qu'elle trouverait sans doute plus de traces de Princess X dans les endroits qu'elles avaient fréquentés ensemble, elle retourna sur leurs anciens lieux de prédilection. May ne s'imaginait pas que les autocollants allaient la mener droit au fantôme de Libby, non. Elle cessa juste d'éviter leurs endroits préférés. Elle ne l'avait encore jamais réalisé, pourtant c'était vrai – jusque-là elle faisait un détour pour ne pas approcher de leurs anciens spots.

Mais plus maintenant.

Leur librairie favorite avait fermé, remplacée par un magasin de disques... qui avait fermé à son tour, mais la vitrine existait toujours. May repensa aux bacs de BD dans le fond, que Libby passait des heures à feuilleter, cherchant des dessins cool à copier.

– « L'imitation est la plus sincère des flatteries », commentait May.

Elle entendait encore la voix de son amie résonner à ses oreilles, comme si c'était hier :

– C'est surtout un excellent entraînement.

May savait déjà que le Black Tazza n'existait plus, cela ne servait donc à rien d'y passer. Elle alla en revanche faire un tour au vieux Walgreens où, de temps en temps, elles allaient s'acheter du vernis à ongles ou du rouge à lèvres en attendant le bus. Elles s'amusaient à essayer les couleurs sur le dos de la main, pour voir si ça leur allait au teint. Elles alignaient les traits de « rose perle », « pomme d'amour » ou « cannelle ».

Elle ne retrouva pas ces couleurs poétiques en rayon, mais vit deux filles qui pouffaient en étalant du gloss sur leurs poignets, comparant les différentes teintes. Au lieu de fondre en larmes, elle sourit.

Dehors, sur le panneau de l'arrêt de bus, quelqu'un avait collé un autocollant Princess X. Ça la fit sourire aussi.

Finalement, quarante-huit heures après avoir découvert le premier autocollant sur Broadway, elle fit une pause.

Elle était assise au bord d'un étang de Volunteer Park, à côté d'un héron en plâtre - une statue censée éloigner les vrais oiseaux qui risqueraient de manger les carpes koï. Elle avait ouvert son carnet de notes pour son roman, mais elle n'arrivait pas à se concentrer et se contentait de gribouiller dans la marge. Son esprit bouillonnait. Elle n'avait qu'une seule envie : écrire une aventure de Princess X.

Elle avait mis du temps à réussir à écrire seule, sans personne pour illustrer ce qu'elle décrivait. C'était beaucoup plus difficile de raconter une histoire sans une amie pour l'entendre, avec juste des mots - car May ne savait même pas tenir un crayon à dessin. Mais finalement elle était parvenue à écrire. Elle n'avait jamais manqué d'idées. Elle avait simplement dû apprendre à les coucher sur le papier.

Elle leva les yeux vers l'énorme château d'eau en briques qui se dressait devant elle et s'efforça d'y voir autre chose que l'une des tourelles de la maison hantée de Princess X.

Peut-être le donjon d'un château... ou une prison dans laquelle les pires criminels étaient enfermés à vie.

C'est alors qu'un gars perché sur un skate-board la frôla de si près qu'elle dut ôter ses pieds du chemin. Il passa dans un vacarme métallique et poursuivit sa route sur le promontoire, jusqu'au Black Sun[1], une grosse sculpture ronde comme un donut, à travers laquelle on pouvait apercevoir la Space Needle par temps clair.

Elle fronça les sourcils. Mais, tandis qu'il s'éloignait, elle repéra sur son sac à dos un dessin familier. Il tressautait et rebondissait au rythme de sa planche de skate et disparut carrément lorsqu'il prit son sac à la main. Le skateur se laissa tomber sur le socle de la sculpture, sortit un paquet de cigarettes et s'en alluma une.

Sans même réfléchir, May ramassa son sac – une vieille sacoche en toile ornée d'un poulpe –, le passa en bandoulière et le rejoignit. Mais elle était devenue si douée en invisibilité qu'il ne la remarqua qu'au moment précis où elle se planta juste devant lui, cachant le château d'eau.

Il leva les yeux et la toisa, d'un regard parfaitement neutre. Peut-être essayait-il de lui ordonner de se pousser par la seule force de sa pensée.

Elle ne bougea pas. Elle se contenta de dire :

– Salut.

– Salut, répondit-il en la fixant sans ciller.

Il devait avoir à peu près son âge, à un ou deux ans près. Il avait les coudes écorchés et un jean troué.

– Je peux te poser une question ?

---

1. Le « Soleil Noir » est une sculpture en pierre noire, percée d'un trou à travers lequel on voit la tour emblématique de Seattle, la Space Needle, « Aiguille spatiale ».

– Vas-y.

Elle désigna son sac du bout du pied.

– Cet autocollant..., commença-t-elle.

Mais, comme il le tournait vers elle, elle constata qu'elle s'était trompée et rectifia :

– Ce badge... Tu l'as eu où ?

Il posa le doigt dessus.

– Celui-là ? C'est ma copine qui me l'a offert.

– Ah, d'accord. Et tu sais où elle l'a trouvé ?

Il haussa les épaules.

– Sur Instagram, j'imagine. On peut commander des autocollants, des badges, toutes sortes de trucs. Pourquoi ? T'es une fan ?

Elle avala sa salive.

– Sur Instagram ?

– Tu connais pas ? T'as un stylo ?

Elle en sortit un de sa sacoche et le lui tendit. Il lui prit la main et griffonna en travers de sa paume :

@iamprincessX

Elle contempla l'adresse, le souffle coupé.

– Merci, réussit-elle à articuler en reculant pour dévaler la colline.

Ce n'était donc pas son imagination, ni une coïncidence improbable, ni une hallucination... C'était Princess X. Sa Princess X. La Princess X de Libby. Elle était sur internet. Pour de vrai.

May secoua son smartphone comme si ça pouvait recharger la batterie, sans succès, bien évidemment. Comme elle n'était qu'à deux ou trois rues de chez son père, elle se mit à courir. Elle trempa son T-shirt et son sweat de sueur – un look d'enfer, à n'en pas douter – mais finit par arriver, ouvrit la porte, la claqua derrière elle et fila dans sa chambre. Elle prit son ordinateur portable, s'installa dans le salon, là où le wi-fi fonctionnait le mieux, et attendit ce qui lui sembla une éternité que l'engin démarre.

– Papa ? fit-elle, en réalisant soudain qu'il était peut-être à la maison.

Pas de réponse. Il ne travaillait donc pas là aujourd'hui. Tant mieux. Elle avait envie d'être tranquille.

Dès que son navigateur internet s'ouvrit, elle entra l'adresse, qu'elle connaissait déjà par cœur. Elle s'extirpa du sweat humide et le jeta par terre puis drapa le plaid du canapé sur ses épaules comme un châle.

@iamprincessx

La page se chargea sous ses yeux.

May prit une profonde inspiration et expira lentement. La page était grise et noire, éclairée de quelques touches de rose et de rouge – un look plutôt sinistre pour une histoire de princesse aux cheveux bleus et en robe bouffante. May balada le curseur et examina la page pixel par pixel.

Il y avait une grande illustration de la princesse avec son épée, encadrée par le fantôme d'une femme d'un côté et un homme brun et mince de l'autre. La femme était triste, éthérée, dégoulinante de larmes, les cheveux mêlés d'algues, la robe maculée de sang. L'homme avait de petits yeux furieux, des membres longs et osseux, des mains noueuses.

Quant à la princesse… ce n'était plus un simple dessin, mais un personnage en chair et en os. Elle arborait une chevelure sauvage, brune parsemée de mèches bleues. Sa bouche avait une expression déterminée. C'était exactement ainsi que May aurait imaginé Libby si elle avait vécu jusqu'au lycée. À la fois forte et jolie. Grande et mince. Prête à en découdre.

Au début, May crut que la page était statique, mais en promenant le curseur de-ci, de-là, elle découvrit des surprises cachées dans l'image. Au milieu du torse ensanglanté du spectre s'afficha la phrase : *Elle s'efforça de fuir aussi loin que possible*. La main droite de l'homme fit apparaître : *Os et sang, aiguille et revolver*. Quant à l'épée de la princesse, elle encourageait May à trouver les Quatre Clés.

Au bas de la page courait une rivière. Elle crut qu'il s'agissait d'un gif animé, mais l'image s'illumina lorsque le curseur passa dessus, lui indiquant qu'il s'agissait d'un lien.

Elle cliqua dessus.

La Reine Fantôme

FIGURE DE LA MÈRE ET ESPRIT VENGEUR, la Reine Fantôme a coulé dans l'océan mais ne s'est pas noyée. Elle y a cependant perdu la vie, et son enfant. Jamais elle n'oubliera. Jamais elle n'abandonnera. Conseillère et protectrice, amie et oracle. Sa sagesse et sa magie cachent la princesse aux yeux de Mister Bones.

Princess X

LA PRINCESSE est tombée dans l'eau à deux reprises. La première fois, Mister Bones l'a repêchée et l'a emmenée chez lui. Il voulait changer son sang, sa chair pour se créer une nouvelle fille, mais elle s'est échappée avant qu'il puisse la transformer. Depuis lors, elle fuit, protégée par l'esprit de sa mère. Toutes deux errent dans un pays sans nom, en quête de sécurité, de liberté et de justice.

Mister Bones

ROI TRISTE venu d'un pays inconnu. Il a perdu sa fille et vit seul. C'est pour cela qu'il a capturé Princess X et qu'il l'a retenue dans son château. Mais la princesse a refusé de lui accorder son amour et elle s'est échappée par une nuit d'orage. Depuis, il la traque sans relâche. Il doit la retrouver pour la tuer avant qu'elle n'ait réuni les Quatre Clés et découvert leur secret.

Les Quatre Clés

UNE SÉRIE D'OBJETS MAGIQUES nimbés de mystère, cachés par des sorciers des temps anciens. Réunies, ces quatre clés ont le pouvoir de vaincre Mister Bones par un sortilège puissant, libérant pour toujours la princesse et sa mère.

May faisait voler le curseur sur la page afin de découvrir images et textes. À part le personnage de Princess X, tout cela ne collait pas. Ce n'était pas ce qu'elle avait écrit. Ça ne correspondait à aucune des histoires qu'elles avaient inventées, Libby et elle, cachées sous la couette, stylos éparpillés sur le lit, à la lueur de la torche. Aucune trace de la cité de Silverstar ou de la maison hantée perchée sur la colline d'où la princesse surveillait la ville, afin d'intervenir pour empêcher crimes et délits.

Sauf que...

Sauf que la Reine Fantôme ressemblait comme deux gouttes d'eau à Mme Deaton. May aurait peut-être pu ignorer les similarités entre la princesse et Libby (mais elle en était incapable), cependant, pour la Reine Fantôme, ça ne pouvait pas être une coïncidence. Impossible. Elle était même tombée dans l'océan, comme la vraie. En quelque sorte.

Mais qui pouvait bien être Mister Bones ?

Elle parcourut sa fiche en y promenant le curseur, à la recherche d'un lien qui lui en apprendrait plus, en vain. Rien ne permettait d'accéder à davantage de contenu.

Elle fit de même pour les Quatre Clés, représentées par quatre longues clés en métal ouvragé. Elle dénicha alors un lien caché dans une boucle de la clé et cliqua dessus...

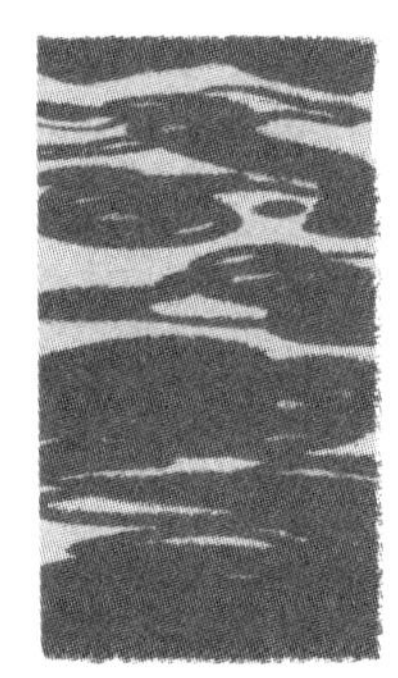

May plaqua la main sur sa bouche pour étouffer son cri.

QUATRE

Le cœur battant et les mains tremblantes, May pointa le curseur sur les derniers mots. « Fille grise », ça ne pouvait désigner qu'une seule personne. Ça ne pouvait être que Libby.

Elle cliqua droit sur la page, ce qui lui révéla le code-source du site. Mais ça ne lui apprit pas grand-chose ; elle savait reconnaître le code, mais pas le déchiffrer. Avec ses quelques notions de base, elle était tout juste capable de coder une police, un tableau ou une image. Alors c'était fichu.

Elle quitta donc cette suite de signes incompréhensibles pour se rendre à la source de tout savoir en entrant simplement les mots « Princess X » dans un moteur de recherche. C'est alors qu'elle comprit qu'elle avait un train de retard. Elle avait la bouche sèche, mais pas le temps d'aller se chercher à boire, pas alors que sa recherche avait fait apparaître une dizaine de pages de liens à explorer. Elle cliqua, cliqua, cliqua encore, jusqu'à avoir tant d'onglets ouverts qu'on ne voyait plus rien sur la barre d'outils.

May tomba sur un compte Instagram qui proposait quantité de sacs, de mugs, de posters à l'effigie de Princess X... mais un examen plus attentif lui révéla qu'il s'agissait d'objets « non officiels ». Sans aucune relation avec le compte d'origine, comme le spécifiait la page d'informations générales. Puis elle éplucha les sites présentant les œuvres créées par des fans. Dans les commentaires postés en dessous, elle trouva des tas d'informations utiles.

Ou plutôt elle apprit que personne n'avait la moindre info précise, ce qui était en soi (assez ironiquement) un renseignement utile. Personne ne savait qui illustrait ou gérait le compte Instagram officiel de Princess X, personne ne savait qui en écrivait les textes ou les BD... et tout le monde mourait d'envie de le savoir.

Le site Reddit[1] ne lui apporta pas plus d'éclaircissements, au contraire. Elle y trouva trois fils de discussion développant d'innombrables théories plus fantasques les unes que les autres sur la véritable identité du créateur de Princess X. Selon les internautes, cette BD était apparue en ligne environ six mois plus tôt et s'était rapidement imposée comme le plus mystérieux, le plus passionnant et le plus suivi des webcomics depuis *Penny Arcade* – dont May n'avait jamais entendu parler.

– Il faut que je passe plus de temps sur internet, marmonna-t-elle entre ses dents en poursuivant sa lecture.

Toutes ces théories n'avaient pas grand intérêt. La plupart étaient complètement délirantes – à moins de croire aux voyages dans le temps ou aux fées. Deux d'entre elles supposaient qu'un auteur connu avait créé ce compte Instagram pour s'amuser un peu sous couvert d'anonymat. Un internaute affirmait carrément en être l'auteur – mais il prétendait également avoir été engagé pour tuer l'Abominable Homme des Neiges. Elle s'arrêta cinq secondes sur un post suggérant que la BD était l'œuvre d'un fantôme... mais ensuite

1. Site de partage de signets, permettant aux utilisateurs de proposer leurs liens favoris et de voter pour ceux qu'ils préfèrent.

ça devenait carrément idiot. Il ne s'agissait même pas d'un fantôme intéressant, pas le fantôme de Libby en tout cas. Pour faire court, le type pensait qu'il s'agissait du fantôme d'un vieil homme retrouvé mort et momifié chez lui une dizaine d'années auparavant. Il avait posté des photos du gars et tout. En même temps, cela pouvait être n'importe quel vieillard dans n'importe quelle maison, et May ne comprenait pas vraiment en quoi les images appuyaient cette théorie.

Pour résumer, sur Internet, elle avait trouvé une foule de spéculations, quelques idées carrément dingues, et une poignée de gens qui exploitaient le filon, profitant du fait que personne ne faisait valoir ses droits sur les produits dérivés. Apparemment, ce n'était pas bien compliqué de créer n'importe quel bibelot à l'effigie de Princess X pour empocher le pactole.

L'espace d'un instant, May se demanda si elle pourrait revendiquer la paternité du personnage. Elle n'avait certes pas dessiné Princess X, mais elle avait écrit ses toutes premières aventures – sauf qu'elle n'avait aucun moyen de le prouver. En revanche, le texte du compte Instagram n'était pas d'elle, alors ça ne marcherait sans doute pas. Cependant elle ne parvenait pas à se défaire de l'impression désagréable que quelqu'un se faisait de l'argent sur le dos d'une création privée – peut-être même une fortune.

Mais c'était un peu bête, elle en était consciente. On ne devenait pas milliardaire en vendant des autocollants et des T-shirts. Et puis son but n'était pas d'exploiter Princess X, mais d'obtenir des réponses. Elle voulait savoir qui en était l'auteur, parce qu'elle savait – elle en était persuadée – que ça ne pouvait être que Libby.

Elle surfa encore une demi-heure, mais le seul truc cool qu'elle dégotta, c'était une série de clichés pris au salon de la BD de San Diego, où trois amis s'étaient rendus déguisés en Princess X, la Reine Fantôme et Mister Bones. Les costumes étaient géniaux – vraiment déments –, mais la fille censée incarner Princess X ne ressemblait absolument pas à Libby. May ne savait pas si ça devait la faire rire ou pleurer.

Après avoir fouiné dans les moindres recoins d'internet, elle abandonna et retourna sur @iamprincessx… c'est alors qu'elle prit conscience d'une chose : elle l'avait à peine consulté. C'était une véritable obsession et, en même temps, elle n'arrivait pas à se forcer à le regarder vraiment. Elle voulait obtenir des réponses, bien entendu… seulement ces réponses risquaient de ne pas lui plaire.

Elle se retrouva devant la série d'images avec la super épée et l'eau animée. Elle repéra alors un lien en haut de la page : *Lire depuis le début.*

Elle cliqua dessus. La première planche était datée du mois de décembre.

Elle se plongea dans sa lecture.

ILS LUI APPRIRENT QU'IL N'Y AVAIT AUCUN TRAITEMENT, AUCUN ESPOIR.

LE POISON ÉTAIT DANS SON SANG, SES OS.

IL SE MIT DONC EN QUÊTE D'UN MEILLEUR SANG. DE MEILLEURS OS.

IL TROUVA UNE DONNEUSE COMPATIBLE.
LA PRINCESSE.

MAIS SES PARENTS REFUSÈRENT.

IL DÉCIDA DE PASSER OUTRE.

IL ATTENDIT LE PLUS LONGTEMPS POSSIBLE.

IL ATTENDIT QU'IL NE SOIT PLUS TEMPS DE DEMANDER, SEULEMENT DE PRENDRE.
BANG

SCRiii

May resta immobile un instant, digérant l'information.

Non seulement les filles de la troisième case dessinaient à la craie sur le sol, mais la brune était clairement Princess X habillée normalement. Et son amie avait les cheveux châtains et portait un T-shirt chat. Elle se rappelait ce T-shirt. Libby en avait un aussi. May avait gardé le sien, plié au fond de son armoire, à Atlanta. Il était beaucoup trop petit, mais elle ne s'était jamais résolue à le jeter, pas alors que Libby avait disparu, emportant tout avec elle.

May passa la langue sur ses lèvres. Elle avait soif, mais elle était trop fascinée par l'écran pour se lever et aller jusqu'au frigo. Les yeux plissés, elle scruta le décor, les vêtements, les couleurs, s'efforçant de repérer des indices, telle une Sherlock Holmes de la bande dessinée. Il n'y avait pas beaucoup de détails. L'accent était mis sur les personnages, en gros plan la plupart du temps. Les voitures auraient pu être de n'importe quelle marque. Le parking aurait pu être n'importe où. Le revolver aurait pu être n'importe quel revolver.

En revanche, les filles... c'était Libby et May. Toute personne les connaissant les aurait identifiées au premier coup d'œil. May était ravie de se voir incluse dans cette nouvelle version de ses anciennes aventures. Car il s'agissait bien d'elle, c'était évident. C'était important qu'elle soit représentée. C'était une invitation. Un encouragement. Le signe que l'impossible n'était peut-être pas si impossible que ça, après tout ; cependant c'était une idée dangereuse, non ?

May étudia l'illustration où la femme se faisait tirer dessus, en essayant de se remémorer comment Mme Deaton se coiffait et s'habillait. Hélas, ses souvenirs étaient encore plus flous que le dessin. Elle se rappelait une femme brune, approchant la quarantaine, et qui adorait les robes fourreaux.

De toute façon, ce personnage était forcément Mme Deaton. Ça collait parfaitement... sauf sur un point : Mme Deaton n'avait pas été abattue, elle s'était noyée.

Soi-disant.

La clé cliqueta dans la porte de l'appartement, annonçant le retour de son père.

– May, tu es là ?

– Ouais ! répondit-elle en s'empressant de refermer son portable.

Elle s'enroula dans le plaid pour se couvrir de la tête aux pieds et, quand son père la rejoignit dans le salon, elle demanda :

– Je peux te poser une question ?

Il se laissa tomber dans un fauteuil.

– Ça a l'air sérieux, fit-il avec un demi-sourire nerveux.

– C'est au sujet de Libby et de sa mère.

– Oh... alors tu es toujours sur cette histoire de Princess X.

– Évidemment !

Elle s'efforça de masquer son agacement, sans bien y parvenir.

– Et j'aimerais savoir comment Mme Deaton a pu tomber du pont.

– Tu as abandonné ta chasse aux autocollants ?

– Oui, j'ai trouvé mieux. Alors, raconte-moi comment elles sont mortes.

– Noyées, répondit-il platement. Tu sais bien.

May sut aussitôt qu'il mentait. Ce ton neutre, sourd... c'était la voix qu'il prenait pour mentir. La voix qu'il prenait pour cacher ce qu'il pensait, ce qu'il ressentait. May n'était pas douée non plus pour mentir, parce qu'à l'inverse elle en faisait trop dans le pathos et l'émotion pour qu'on croie à son histoire.

Elle reprit :

– Oui, d'accord, mais je veux savoir ce qui s'est réellement passé, pas ce que tout le monde raconte.

Son père était mal à l'aise.

– Tu n'as pas besoin de connaître tous les détails, ma puce. Franchement, moi, je m'en serais bien passé. Comment ils ont retrouvé son corps, décomposé par le séjour dans l'eau...

– Pas Libby ! le coupa-t-elle.

Elle n'avait aucune envie de réentendre tout ça, même si finalement ce n'était pas la réalité.

– Je te parle de sa mère. Elle ne s'est pas noyée, elle.

– Si, sa voiture a quitté le pont et elle s'est noyée.

– Mais parce qu'on lui avait tiré dessus.

Il ouvrit la bouche pour répliquer, mais sa mâchoire se referma brusquement. Il l'ouvrit et la referma à nouveau. Comme s'il s'apprêtait à dire quelque chose, mais s'était finalement ravisé.

– Où as-tu pêché ça ? Sur internet ?

– Oui, affirma-t-elle.

C'était plus ou moins vrai. Si elle avait eu le temps, elle aurait cherché de vieux articles de presse sur ce fait divers. Libby et sa mère étaient mortes depuis trois ans, mais on pouvait sûrement en retrouver la trace dans les archives.

Son père poussa un lourd soupir, s'enfonçant dans le fauteuil comme s'il espérait qu'il allait l'avaler.

– C'était sûr que tu l'apprendrais un jour. Je pensais que tu t'en serais remise avec le temps et... que ce ne serait plus aussi douloureux. Mais ça ne fait sûrement pas assez longtemps.

Il n'avait rien compris ! Elle avait envie de le gifler. Néanmoins, elle ravala sa colère, serrant les poings.

– Franchement... mais quel crétin !

Il se pencha en avant, les coudes sur les genoux.

– Ah oui ? Je suis un crétin ? Très bien, si c'est ce que tu penses de moi... Mais un jour tu comprendras... qu'on voulait simplement te protéger.

– *On ?*

– Ta mère et moi. On était d'accord sur le fait que... il y avait des choses que tu n'avais pas besoin de savoir. On savait que tu entendrais des bribes ici et là, mais sincèrement... à quoi ça aurait servi de te dire qu'elles avaient été assassinées, hein ? Bordel ! ajouta-t-il dans un souffle. Tu étais déjà assez obsédée comme ça par cette histoire.

– Alors c'est pour ça que vous ne m'avez pas laissée aller à l'enterrement ?

May voulait parler de celui de Mme Deaton, car elle avait bien entendu assisté à celui de Libby.

– C'est pour ça que vous m'empêchiez d'aller sur internet et de regarder la télé, de lire les journaux...

C'était le mantra de sa mère après l'accident : « Pas d'internet, pas de télé, pas de journaux ». Et, comme l'année scolaire venait de s'achever, elle ne risquait pas de l'apprendre des autres élèves – qui, de toute façon, ne lui adressaient presque pas la parole.

– C'était pour ton bien, affirma son père sans grande conviction.

– Vous n'êtes que des menteurs. Maman et toi, conclut-elle.

Elle se sentait devenir écarlate rien que d'y penser.

– Et celui qui les a tuées… on ne l'a jamais arrêté ? réalisa-t-elle soudain.

– Non, jamais. Écoute, puceron…

Il avait une voix lasse et triste, mais, s'il croyait qu'il suffisait de l'appeler « puceron » pour qu'elle revienne dans ses bonnes grâces, il se trompait.

– On voulait éviter que ça hante tes cauchemars. On ne voulait pas que tu t'imagines qu'il risquait de s'en prendre à toi.

– Mais je n'aurais jamais pensé ça ! Bon dieu, papa ! Je n'avais jamais envisagé ça… jusqu'à ce que tu me le dises ! Merci !

– Tu étais bouleversée. Tu commençais déjà à raconter que ce n'était pas vrai, que Libby n'était pas morte. Tu parlais sans arrêt de ton rêve… Tu disais que tu l'avais vue remonter à la surface…

Sa voix s'étrangla, puis il se reprit :

– Tu voulais tellement croire que c'était une erreur… et la réalité était pire encore que ce que tu imaginais, c'était pire qu'un accident. On a fait ce qu'on croyait le mieux, on a omis les détails les plus sordides. Parce que c'était trop. Trop pour nous tous.

Elle se laissa retomber dans le canapé.

– Arrête !

Elle le fixa d'un regard noir, assez haineux pour faire des trous dans son T-shirt.

– Son meurtrier court toujours. Il est peut-être en ce moment même en train de tuer d'autres gens.

– Oui, il court toujours. Depuis les faits. Il n'y a rien de nouveau. Tu viens juste de l'apprendre, c'est tout.

– Comment ça, « rien de nouveau » ? Pour toi, l'autocollant Princess X, ce n'est rien ?

Elle le tenait, et ils le savaient tous les deux. Il esquiva néanmoins.

– C'est peut-être une coïncidence.

– Cinq minutes sur internet te prouveraient le contraire, l'informa-t-elle. Il y a même un site.

En le disant, elle se sentit rougir. Quelle idiote de ne pas avoir vérifié plus tôt. Elle se leva, tenant son plaid d'une main et son portable de l'autre. La batterie était à nouveau presque vide, il fallait qu'elle le remette en charge.

– Maintenant, si tu veux bien m'excuser, j'ai des trucs à lire.

– Super, fit-il alors qu'elle quittait la pièce. Super.

Elle lui laissait environ un quart d'heure pour se décider à téléphoner à sa mère. Pas pour lui demander de l'aide, mais parce qu'il ne voulait pas être seul à ne pas comprendre sa fille. C'était le seul point commun qui restait entre ses parents, leur seul sujet de conversation. Quand ils se parlaient, ce qui arrivait rarement.

Mais May s'en moquait. Comme elle venait de le dire, elle avait des trucs à lire.

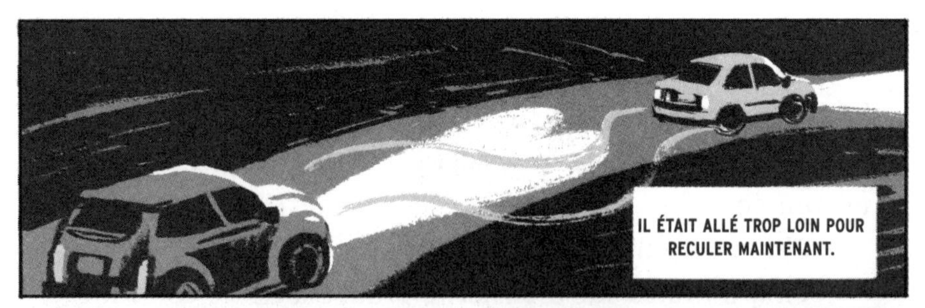
IL ÉTAIT ALLÉ TROP LOIN POUR RECULER MAINTENANT.

LA MÈRE AVAIT PERDU TELLEMENT DE SANG... IL N'Y EN AVAIT PLUS POUR TRÈS LONGTEMPS.
IL N'AVAIT QU'À LES SUIVRE...

... ATTENDRE...

... ET NAGER.

IL AVAIT ENFIN CE
QU'IL LUI FALLAIT.

SAUF QUE C'ÉTAIT TROP TARD.

TOUT ÇA POUR RIEN.

ET IL SE RETROUVAIT AVEC
UN GROS PROBLÈME SUR
LES BRAS.

May se rendit compte qu'elle s'endormait.

Elle était épuisée, terrorisée, elle avait la migraine à force de pleurer et de se retenir de pleurer. L'ordinateur portable était tout chaud sur ses cuisses, son matelas était tout moelleux. Elle aurait le temps de continuer demain, parce que Libby était en vie, quelque part. Elle était en vie aujourd'hui et elle serait en vie lorsque May réussirait à démêler la vérité du mensonge et des rumeurs. Et May la retrouverait.

Oui, elle allait la retrouver.

Après tout, Libby avait réussi à s'en sortir vivante. Comme dans son rêve. Elle était remontée à la surface. On l'avait sortie de l'eau, elle était montée dans la voiture de Mister Bones. Même le ton de l'histoire lui semblait familier. Comme un récit qu'elles auraient inventé ensemble, cachées derrière la cabane en bois de la cour de récré, en échangeant des mots en classe, ou bien en chuchotant, assises au bord du lac, tout en jetant du pain aux canards.

Ce n'était pas le début que Libby et May avaient imaginé. Mais en même temps elles n'avaient jamais vraiment donné une origine à cette princesse. Elles avaient raconté ses aventures à partir du moment où elle avait pris l'épée pour combattre les méchants et les monstres avec ses baskets rouges. Elles lui avaient fait affronter le danger, sans peur, mais c'était toujours une fois qu'elle avait gagné son nom et sa couronne.

Alors ce n'était pas dérangeant. Ça collait.

Et May se moquait bien que personne ne la croie, même son père – ce menteur pitoyable qui voulait seulement la protéger. Ou tout du moins c'est ce qu'il racontait. Parce qu'il ne l'avait pas vraiment protégée, il s'était contenté de dissimuler la vérité. Alors que la vérité libère. Elle avait lu ça quelque part, il y a longtemps. Gravé sur une bague. Ou alors c'était un dialogue de film ? La réplique d'une pièce de théâtre dont elle ne se souvenait plus très bien ?

La vérité la libérerait. Et Libby aussi.

Elle allait réussir.

CINQ

Le lendemain matin, elle ouvrit son portable, prête à poursuivre sa lecture avant même d'avoir pris son petit déjeuner... mais le chargeur s'était débranché, et elle n'avait pas bien éteint l'ordinateur avant de s'endormir... si bien que la batterie était complètement et désespérément vide. Elle pesta, grogna et le rebrancha. Finalement, elle allait prendre son petit déj' d'abord.

En sortant de sa chambre, elle ne trouva aucune trace de son père, à part un mot sur le frigo :

J'ai dû partir tôt au bureau. Désolé. On discutera ce soir quand je serai rentré.

Ça signifiait qu'il avait une grosse journée de boulot devant lui et qu'elle était tranquille sans l'avoir sur le dos pour de longues heures. Ce qui les arrangeait bien tous les deux. Peut-être qu'il l'avait fait exprès.

De toute façon, elle n'avait aucune envie de lui parler. Il lui avait laissé un billet de vingt dollars – coincé sous un aimant représentant un chiot assis sur une boîte de chocolats –, difficile donc de trop lui en vouloir. Elle pouvait manger comme une reine avec vingt dollars et il lui resterait de quoi se payer un chocolat chaud demain. D'après le micro-ondes, il était dix heures et demie, donc encore assez tôt pour débuter la journée avec un muffin ou un bagel... et, le temps qu'elle revienne du magasin, son ordi serait sûrement chargé.

Elle s'habilla en vitesse, prit sa sacoche, puis ferma la porte derrière elle et descendit par l'ascenseur traînard. Au rez-de-chaussée, le soleil pâle du matin filtrait à travers la double porte vitrée qui donnait sur la rue.

Elle s'arrêta devant le panneau d'informations, près des boîtes aux lettres, parce quelqu'un avait punaisé une affichette signalant la disparition d'un chat. Elle était très douée pour retrouver les chats perdus. L'été dernier, elle avait ramené deux fugitifs chez eux, simplement en ouvrant l'œil, avec son téléphone à portée de main. Il s'agissait cette fois d'un chaton noir aux grands yeux dorés, qui s'appelait Toby. Elle essayait de mémoriser le nom de son propriétaire lorsque l'annonce d'à côté attira son attention.

ASSISTANCE INFORMATIQUE
À DOMICILE
PRIX ABORDABLES

Virus **ÉLIMINÉS**
Systèmes **OPTIMISÉS**
Données **RÉCUPÉRÉES**

Services proposés par un étudiant responsable, DISCRET et efficace. Je ne fouillerai pas dans votre historique internet à moins que ce ne soit absolument nécessaire pour résoudre le problème. Pour un coût modique, je peux également nettoyer votre historique, sans le communiquer à personne.

Possibilité de formation – si par exemple vous en avez assez de payer pour les films et la musique, sans pour autant souhaiter vous retrouver derrière les barreaux. Appelez-moi. Je suis votre homme. J'habite l'immeuble, donc pas de frais de déplacement.

PATRICK
555-1212

Il ne restait plus qu'une seule languette avec son numéro de téléphone, Patrick était donc très demandé. Vive comme l'éclair, May arracha le petit morceau de papier et le fourra dans sa poche avec les clés de la maison. Si c'était un étudiant à la recherche d'un job d'été, il devait avoir son âge ou un peu plus. Elle pourrait lui demander de l'aide si jamais ses recherches ne la menaient nulle part. Elle ignorait par exemple comment trouver l'hébergeur et le créateur du site.

Elle alla s'acheter un bagel et un soda, les mangea en vitesse avant de rentrer chez elle. Dans sa chambre, assise sur son lit, elle ouvrit les applis importantes, vérifia sa boîte mail au cas où elle aurait reçu des messages (ce qui n'arrivait jamais)... et retourna direct sur @iamprincessx.

Elle se rendit à la page où elle s'était arrêtée. Là où on voyait la fille assise contre le mur, les épaules voûtées, toute recroquevillée. Mais elle eut beau agiter le curseur, cliquer partout, aucun lien n'apparaissait, aucune adresse pour réorienter vers la suite… Elle s'était peut-être emballée un peu vite.

Non, c'était impossible. Il y avait forcément une suite…

Et voilà que son portable choisit cet instant précis pour planter.

Elle le saisit à deux mains, le retourna dans tous les sens, vérifia tous les voyants, mais ne put rien en conclure, à part qu'il ne marchait plus. L'écran était noir, il n'émettait plus aucun bruit. Avec un peu de chance, elle avait seulement cramé la batterie.

Elle glissa la main dans sa poche pour en tirer le bout de papier arraché à l'annonce de Patrick. Il était tout chiffonné, mais encore déchiffrable. Elle composa le numéro avec application.

SIX

Patrick Leander Hobbs avait un problème. Plusieurs problèmes, même – mais le plus grave, c'était que ses parents pensaient qu'à la rentrée il allait intégrer l'université de Washington. Ils s'imaginaient également que l'hébergement et les quatre années d'études étaient entièrement couverts par une bourse.

Sauf que rien de tout cela n'était vrai.

Certes, on lui avait offert une bourse universitaire complète, suite à l'obtention de son diplôme, quelques semaines plus tôt. Ses parents, sourire radieux aux lèvres, l'avaient photographié lorsque le principal du lycée lui avait serré la main en lui tendant une enveloppe contenant le dossier de bourse.

Tout le monde était ravi. Pas le moins du monde surpris. Patrick l'avait bien mérité. Il avait toujours eu d'excellentes notes, des résultats d'examen proches de la perfection et c'était un as en code. Il faisait l'admiration de ses professeurs d'informatique et avait même remporté un prestigieux concours national pour ses prouesses en développement numérique. Comme le président du club informatique l'avait déclaré fièrement, Patrick était capable de créer un site du tonnerre avec rien d'autre qu'une police gratuite et une caisse de Red Bull.

Mais beaucoup de choses peuvent changer en quelques semaines.

Tout avait changé.

D'abord, sa petite amie l'avait largué, le lendemain de la remise des diplômes. Elle l'avait plaqué par texto en annonçant simplement :

C'EST MORT POUR VCVR. SUIS AVEC MIKE MTNT. DSL.

En d'autres termes, elle voulait dire qu'elle ne partait plus en vacances avec lui à Vancouver pour la bonne et simple raison qu'elle sortait dorénavant avec Michael Hanningan – qui était grand et fort, OK, d'accord. Mais il y a beaucoup de mecs grands et forts, et la particularité de celui-là était d'être également tellement stupide qu'il avait besoin de trois profs particuliers pour maintenir sa moyenne hors de l'eau. Il recevait ce traitement de faveur parce qu'il était essentiel à l'équipe de foot du lycée. S'il arrivait à obtenir C de moyenne, il serait intégré dans le programme sportif de je ne sais quelle université et, qui sait, il parviendrait peut-être à intégrer la NFL[1] et à gagner quelques millions de dollars par an pour taper dans un ballon et encaisser les traumatismes crâniens.

C'était l'avenir qui guettait les crétins grands et forts, tout du moins selon Patrick.

Patrick n'était pas grand et ce n'était pas un crétin.

Il avait entendu dire que le système de sécurité du réseau du lycée était lamentable et quelques tentatives pour chatouiller le firewall le lui avaient confirmé. Il s'était introduit dans le réseau, avait localisé les bulletins de notes et s'était assuré qu'une certaine Samantha Elizabeth Peters perde quelques points à des examens cruciaux.

---

1. La National Football League, ligue nationale de football américain, association regroupant les équipes professionnelles. Le football américain est un sport assez violent nécessitant de porter un casque.

Il n'avait pas fait en sorte qu'elle soit recalée. Juste obligée de suivre un stage de remise à niveau durant l'été. Il voulait qu'elle reçoive la meilleure éducation possible. C'était pour son bien.

Cependant, la responsable de l'informatique n'était pas aussi nulle que Patrick l'avait cru et, lorsqu'elle s'était aperçue de l'intrusion, il lui avait fallu quelques heures à peine pour deviner qui était le coupable. Elle avait mis moins d'une journée pour le prouver et venir le trouver.

La police de Seattle avait mis cinq minutes pour décider que ça ne valait pas la peine de le poursuivre. Mais il n'avait fallu qu'une heure à l'université de Washington pour décider qu'ils n'avaient finalement plus besoin de Patrick Hobbs au sein de leur département de science, technologie, ingénierie et mathématiques.

Il avait néanmoins réussi à préserver sa mère et son compagnon de toute cette affaire. Par chance, ils travaillaient beaucoup tous les deux. Sa mère était la gérante d'un restaurant italien du quartier et son petit ami était réparateur de machines à expresso, il était donc surbooké.

Patrick venait d'avoir dix-huit ans. Les autorités n'avaient donc pas l'obligation de le dénoncer à ses parents. Il lui avait suffi d'intercepter le courrier avant que sa mère ne le voie et de répondre au téléphone fixe de la maison. Au prix de tous ces efforts, il avait réussi à les laisser dans l'ignorance. Ils étaient donc persuadés que tout allait bien et que Patrick allait s'installer dans un dortoir de la fac en septembre.

Il lui restait donc huit semaines pour sortir une solution de son chapeau.

Sauf que son chapeau ne se montrait pas très coopératif.

C'est ainsi qu'il avait eu l'idée de proposer ses services en assistance informatique. Il avait imprimé des affichettes qu'il avait collées un peu partout, et il s'était fait un peu d'argent comme ça. Presque mille dollars. Les gens étaient prêts à payer n'importe quel prix pour se débarrasser des virus et des fichiers douteux qui les avaient mis dans la panade. Et, surtout, les gens ne voulaient pas que leurs conjoints ou leurs amis soient au courant.

Mais ça ne suffisait pas. Même s'il continuait à ce rythme-là tout l'été, deux mille dollars de plus ne lui permettraient pas de mettre ne serait-ce qu'un pied dans la plus miteuse des universités. Même s'il arrivait à dégotter un vrai boulot, tout en continuant l'assistance technique à côté, en ne se nourrissant que de nouilles chinoises sans acheter aucun jeu vidéo jusqu'à ses trente ans, ça ne couvrirait pas les frais d'inscription... sans parler des frais de scolarité.

Patrick Hobbs passait donc beaucoup de temps à penser à l'argent et au moyen d'en gagner. Il passait également beaucoup de temps sur internet à s'inscrire à des concours et à essayer de trouver une solution. Il avait ainsi découvert que le firewall de l'université de Washington était beaucoup plus difficile à craquer que celui de son lycée.

Bref, le temps jouait contre lui et il suait à grosses gouttes.

C'est à ce moment-là que le téléphone sonna.

SEPT

May entendit un garçon répondre :

– Patrick Hobbs, conseiller en informatique, puis-je vous aider ?

Sa voix lui confirma qu'elle avait vu juste. Il devait avoir à peu près son âge.

– J'ai justement besoin de conseils. En informatique, ajouta-t-elle lamentablement.

– Et quelle est la nature de vos difficultés ?

Il n'avait pas le ton sec et posé des professionnels, mais c'était le genre qu'il voulait se donner. May ne savait pas si elle trouvait ça mignon ou agaçant. Elle changea son téléphone de main.

– Mon ordi est mort. Enfin, c'est peut-être juste la batterie, je n'en sais rien. Mais j'en ai absolument besoin, et puis, j'aurais besoin d'aide pour autre chose aussi. Et c'est un truc encore plus important. Ça peut sembler bizarre... mais j'aimerais savoir qui est derrière un certain compte Instagram.

– Ah. Vous avez des problèmes de harcèlement ou de menaces ? Parce que, si c'est le cas, mieux vaudrait sans doute prévenir les autorités.

– Non, non, ce n'est pas ça...

– Quoi alors ?

– C'est... c'est une longue histoire. Mais j'aimerais connaître vos tarifs... Pour l'assistance technique.

– Quarante dollars de l'heure.

– J'ai… à peu près…

Elle essaya de calculer ce qu'il lui resterait des vingt dollars de son père après le déjeuner et le dîner.

– … six dollars cinquante.

– Désolé, ma poule, mais même Hat-Trick[1] doit se nourrir.

May regarda son téléphone, les yeux ronds. Non, mais pour qui il se prenait, ce type ?

– Vous… vous vous faites appeler Hat-Trick le magicien ?

– Oui, c'est tout moi.

– Ouais, enfin, une partie du temps seulement, remarqua-t-elle sournoisement. Vous devez être au lycée, non ?

– À la fac, répliqua-t-il.

– Ça, j'en doute, riposta-t-elle, toujours contrariée par le « ma poule ».

– Eh bien, tu te trompes. Je suis à la fac. Et c'est quarante dollars de l'heure.

– Y a vraiment des gens qui te paient ce tarif-là ?

– Tous.

– Ouais, c'est ça.

– Tu en doutes parce que tu n'as pas beaucoup de porno sur ton ordi.

– Ça, c'est vrai, reconnut May. Alors tu pourrais m'aider à trouver qui est derrière ce compte Instagram ?

– Peut-être, si t'as quarante dollars. C'est quel site ?

– Une BD en ligne qui s'appelle *Princess X*.

Il ne réagit pas.

Elle insista :

– Tu as entendu ? C'est *Princess X*, ça parle…

---

1. Trick est le diminutif de Patrick, mais ça signifie aussi « astuce, tour de magie », d'où le rapport avec *hat*, chapeau (de magicien).

Il la coupa :

– D'une princesse avec des baskets rouges et une épée violette, ouais, je connais. Mais je peux te donner la réponse tout de suite, et gratuitement : *personne* ne sait qui est derrière. C'est l'un des plus grands mystères de notre temps.

– Non. Moi, je sais qui est derrière. La fille qui dessine, c'était ma meilleure amie, affirma-t-elle. Et je peux le prouver.

– Sérieux ?

Non, pas vraiment... mais elle ne pouvait pas reculer maintenant qu'elle avait piqué sa curiosité.

– Oui, je peux le prouver. Alors tu es avec moi ou pas ? J'ai six dollars cinquante, pas plus. Mais on est sur le point de résoudre l'un des plus grands mystères de notre temps, et ça, ça n'a pas de prix. En fait, c'est même toi qui devrais me payer pour l'info si ce compte est une telle énigme.

Elle était à fond, maintenant.

– Tu imagines, si c'est toi qui révèles son identité... ? Tu serais genre... comme le type de WikiLeaks. Ou celui qui a envoyé les fédéraux se faire voir avant de se casser en Chine.

– Je ne veux pas finir comme ces deux gars. Ils sont complètement jetés.

– Alors... tu pourrais être comme les Anonymous ! Tu as un masque ?

– Non.

– Il t'en faudrait un. Tu pourras l'acheter avec les six dollars cinquante.

– T'es malade.

– Allez ! Tu veux m'aider ou pas ?

Il soupira. Un gros soupir mélodramatique.

– T'habites où ? fit-il comme si elle avait fini par l'avoir à l'usure et qu'il était trop las pour lui dire non.

– Au troisième étage.

– Alors je descends.

– Non ! On se retrouve dans le hall, devant les boîtes aux lettres. J'apporte mon portable, on va aller discuter devant un café.

...attle Times
UNE MÈRE ET SA FILLE
PRÉSUMÉES MORT
LE MONDE L'AVAIT DÉJÀ OUBLIÉE.

ILS ÉTAIENT TOUS LES DEUX SEULS, MAINTENANT.

ET APRÈS TOUT...
ELLE ÉTAIT PARFAITE POUR LUI.

ENFIN, C'EST CE QU'IL CROYAIT.

IL LA CACHA SUR UNE ÎLE, ENFERMÉE
CHEZ LUI.
ET CHAQUE JOUR...

IL LUI PARLAIT
DE LA PREMIÈRE PRINCESSE.
ET DE SA MORT.

IL LUI DISAIT QU'ELLE ÉTAIT LA NOUVELLE
PRINCESSE. ET QU'ILS FORMAIENT UNE FAMILLE,
TOUS LES DEUX.

QU'AVEC LE TEMPS, ELLE FINIRAIT PAR L'AIMER.

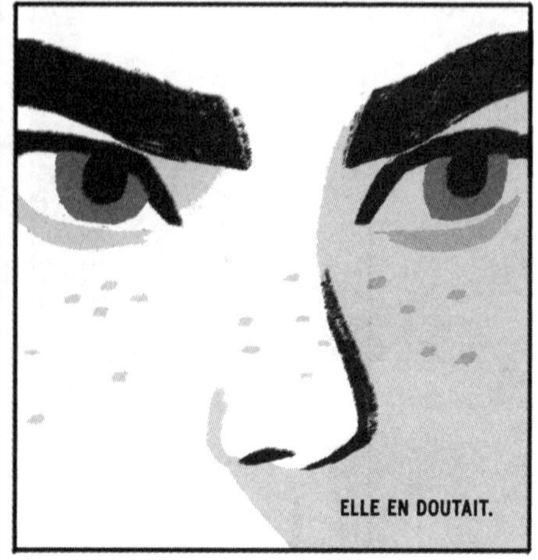
ELLE EN DOUTAIT.

HUIT

Trick retrouva May dans le hall, comme promis. Elle le reconnut au premier regard.

Il était à peine plus grand qu'elle – donc pas très grand pour un garçon –, plutôt mince, avec un visage long et fin sur lequel on aurait bien vu des lunettes, sauf qu'il n'en portait pas. Il avait une chemise à manches courtes ouverte sur un T-shirt noir à l'effigie d'un groupe qu'elle ne connaissait pas. Elle le jugea mignon dans le genre « j'ai l'air d'un bon élève bien sage alors qu'en fait je suis un rebelle », genre qui peut être soit très sexy, soit complètement ridicule, selon le degré de « rebellitude » réelle du garçon.

Il lui lança un « salut » qu'elle lui rendit. Ils se serrèrent la main d'une façon un peu formelle, puis May embraya aussitôt :

– C'est toi, Trick ?

– Et toi, t'es la fille qui ne m'a pas dit son nom... ?

– May.

– Et tu vas me révéler qui est derrière Princess X ?

– Peut-être. Mais d'abord il faut que tu répares mon ordi. Et ensuite que tu m'aides à la contacter, ou à la retrouver, enfin, on verra. Ça marche ?

– Ça marche, promit-il.

Ils allèrent prendre un café, car pour discuter, à Seattle, tout le monde va prendre un café. Il n'y avait pas moins de quatre Starbucks dans le quartier, mais ils préférèrent Victrola, un café plus petit et plus proche.

C'était bondé, comme d'habitude. May commanda un *mocha late* avec supplément chocolat – parce que le chocolat aidait à masquer le goût du café, mais qu'elle ne voulait pas passer pour une gamine en commandant un chocolat chaud. Trick prit un café filtre avec deux sucres. Ils s'installèrent dans la vitrine sur les banquettes aux coussins vintage multicolores.

Trick poussa la touillette en plastique rouge du bout de son nez et but une gorgée de café.

– Alors, parle-moi de ton amie. Tu crois que c'est elle qui a inventé Princess X ? Mais tu ne sais pas où la trouver ?

– En fait, on l'a inventée ensemble. Elle dessinait et moi, j'écrivais, à l'époque... en CM2. On a continué jusqu'à son soi-disant décès, il y a trois ans. Mais, maintenant que j'ai trouvé ce compte Instagram, je sais qu'elle est derrière. Et donc qu'elle n'est pas morte.

– Tu prends tes rêves pour des réalités, non ?

– Si j'avais pu choisir, elle n'aurait pas été kidnappée et retenue en otage par un dangereux maniaque ! Tu n'as pas lu la BD ?

Il appuya le gobelet en plastique blanc épais contre sa lèvre inférieure.

– Bien sûr que si, répliqua-t-il. Je pensais que tout le monde l'avait lue. C'est super populaire. Tu viens seulement de la découvrir ?

– C'est grand, internet. Je ne peux pas tout lire, tout regarder, marmonna May. J'ai découvert ce compte il y a quelques jours. J'ai d'abord vu les autocollants un peu partout dans la ville, ça a attisé ma curiosité.

– Il y a quelques jours ? Pourtant tous ces gadgets sont en circulation depuis des mois.

– Pas à Atlanta.

– Ah… ça vient de là, l'accent, alors.

Elle fronça les sourcils, aspirant une gorgée de son *mocha* à la paille.

– Ce n'est peut-être pas une bonne idée, finalement.

– Non ! s'exclama-t-il presque trop fort. Non… écoute, tu as raison. Je fais mon gros naze, désolé. Je veux que tu me parles de ton amie et du compte Instagram. Je tiens absolument à t'aider à résoudre cette histoire de meurtre, OK ?

Il semblait sincère, elle lui raconta donc l'histoire de Libby et de sa mère depuis le début. Elle n'avait pas l'intention de tout déballer, mais, une fois lancée, elle ne parvint plus à s'arrêter. À part son père, c'était la première personne qu'elle rencontrait qui s'intéressait un tant soit peu à son histoire. En fait, c'était la seule personne à qui elle pouvait parler, point. Ses seuls amis étaient soit morts, soit restés à Atlanta. Quant à ses anciens camarades de classe de Seattle, ils étaient partis en vacances, ou bien passés à autre chose.

Alors, que ce soit une bonne idée ou non, elle lui parla de *sa* Princess X – celle qu'elles avaient inventée Libby et elle, pas celle qui était sur internet. Elle lui raconta les heures passées à essayer de retrouver les carnets, les boîtes à chaussures pleines de dessins. Elle lui expliqua qu'elle avait toujours cru que Mme Deaton s'était noyée mais que, comme la BD laissait entendre qu'il en était autrement, elle avait questionné son père, qui avait finalement reconnu que la mère de Libby avait été abattue. Lorsqu'elle cessa enfin de parler, son *mocha* supplément chocolat était froid et le gobelet de Trick était vide, mais il ne l'avait pas remarqué.

– Je sais qu'on dirait une théorie du complot, reprit-elle en se penchant en avant. Mais avoue qu'il y a quelque chose… Ça ne peut pas être une simple coïncidence.

Avec ménagement, d'une voix posée, calme, Patrick répondit :

– Tu sais, il est tout de même possible que quelqu'un ait trouvé vos notes et tout… et qu'il vous ait volé vos personnages.

– Oui, bien sûr, techniquement, tout est possible. Sauf que Princess X et la Reine Fantôme ressemblent à Libby et à sa mère. Et j'apparais aussi dans la BD, dans une case ou deux, avant que l'héroïne devienne la princesse.

Sans lui laisser le temps de répliquer, elle sortit une vieille photo de son sac, qu'elle avait glissée dedans en partant. Celle-ci avait été prise le jour du marathon « Haut les cœurs ». May et Libby, en sueur, souriaient à l'objectif dans leurs T-shirts trop grands ornés du logo de l'association, leurs cordes à sauter à la main. Mme Deaton se tenait derrière elles, une main fièrement posée sur leurs épaules.

– Tu vois ? fit-elle en la lui montrant. Libby est le portrait craché de la princesse. Ce n'est pas moi qui délire.

Il examina la photo avec attention, en la tenant par un coin, comme s'il s'agissait d'une relique précieuse qu'il craignait d'abîmer.

Il hocha la tête.

– En effet… il y a comme un air de ressemblance… ouais…

May lui reprit la photo des mains et la rangea.

– Elle est vivante, quelque part, et c'est elle qui est derrière ce compte Instagram. Elle s'en sert pour appeler à l'aide, je pense. Elle me cherche.

– Sauf que si elle est bien quelque part et qu'elle te cherche…

May n'aimait pas du tout ce « si », cependant il ignora son air renfrogné.

– … pourquoi ne t'a-t-elle pas tout simplement envoyé un message par Facebook ? Ou cherchée sur Twitter ou Tumblr ? Tu as bien un profil internet, non ?

– Elle n'est sans doute pas en mesure de le faire. Si elle est retenue prisonnière par ce type, peut-être qu'il la menace, qu'il lui a dit que, si quelqu'un tentait de la secourir, il le tuerait. Alors elle utilise le biais d'internet pour me protéger.

– Tu n'as pas lu la BD jusqu'au bout, hein ?

Le visage de May se rembrunit encore davantage. Elle n'avait pas menti, pourtant, pas vraiment, mais il avait tout de même réussi à la coincer.

– Comment tu le sais ? demanda-t-elle.

Il secoua la tête.

– Rentre chez toi et lis la suite. Princess X a réussi à s'enfuir de chez Mister Bones. Maintenant elle est en cavale, à la recherche des clés. Enfin, c'est là où j'en étais resté de l'histoire la dernière fois que je suis allé sur Instagram.

– Bon, d'accord : je viens juste de commencer, avoua-t-elle. J'ai cliqué sur toutes les images au cas où il y aurait des indices cachés, ça prend du temps.

– Tu pourrais aussi consulter un forum de fans. Je ne me souviens plus de l'adresse, mais tu le trouveras en deux secondes sur Google. Il y a des milliers de personnes qui passent leur temps à analyser les illustrations et les textes, ça peut servir. Faute d'indices, ça te donnera au moins des idées…

– Ouais, ce n'est pas la même chose, marmonna-t-elle entre ses dents.

Elle était agacée parce qu'elle repensait à ce qu'il lui avait dit quelques secondes plus tôt. Si Libby avait accès à internet… franchement, May n'était pas très difficile à retrouver. Elle avait un compte Facebook, Twitter et Vine. Et aussi Tumblr, seulement elle ne le mettait pas souvent à jour.

– Mais c'est Libby, dit-elle à voix basse. Je *sais* que c'est elle. Il faut que je trouve un moyen de lui venir en aide. Je suis peut-être la seule qui en soit capable.

Patrick se redressa brusquement comme si elle venait de lui donner une idée.

– Oui… ce n'est pas bête… Si ça se trouve, Libby cache des indices dans la BD, à la vue de tous, sauf que tu es la seule à pouvoir les décoder.

Il se pencha en avant, tapotant sur la table pour souligner son propos.

– Par exemple… mettons que vous ayez un marchand de glaces favori… ou un dessin animé préféré. Un *boys band* que vous adoriez, un truc du genre. Quelque chose qui n'évoquerait rien aux autres lecteurs.

– On n'écoutait pas de *boys band*, corrigea May.

– Toutes les filles écoutent un *boys band* à un moment ou à un autre de leur vie, affirma-t-il. C'est scientifiquement prouvé. Depuis les Beatles. Peut-être même avant !

May lui lança un regard noir.

– Tu en sais des choses ! Un vrai puits de science, pas vrai ?

– C'est pour ça que tu as fait appel à moi, non ?

Il se renfonça dans sa chaise, croisant les doigts pensivement.

– Laisse-moi un peu de temps. Je vais fouiller dans des recoins… hum… un peu moins « fréquentés » du net. Je vais demander autour de moi, faire jouer mon réseau. Pendant ce temps, toi…

Il tendit l'index vers elle.

– Tu rentres chez toi pour continuer ta lecture.

– Impossible. T'as oublié ? Mon ordi a planté.

– Tu as essayé de l'éteindre et de le rallumer ?

Elle fit la grimace, parce qu'elle n'avait même pas essayé et que c'était le truc le plus évident.

– Je te connais à peine et je te déteste déjà.

– Je vais interpréter ça comme un non, alors. Branche-le, laisse la batterie se recharger complètement et tiens-moi au courant. Je suis sûr que ça va marcher. Ça marche presque à tous les coups. Enfin, de toute façon, on se retrouve demain pour faire un point. À deux heures, ça te va ?

– Pourquoi deux heures ? T'aimes pas le petit déj' ?

– Je vais sortir tard ce soir, alors je risque de ne pas me lever avant midi. Au contraire, j'adore le petit déj'.

Il sourit.

– Mais les génies ont leurs plus grandes idées la nuit. Et je parie que j'en suis un.

LA PRINCESSE TENTA
DE S'ÉCHAPPER.

TU ES MA FILLE, MAINTENANT.
SI TU T'ENFUIS, JE TE TUERAI...
TOI ET TOUS CEUX QUI TIENNENT À TOI.
PAS DE GAIETÉ
DE CŒUR...

MAIS PARCE QUE TU NE ME LAISSERAIS
PAS LE CHOIX.

MAMAN ?

LE ROYAUME DE MISTER BONES EST BÂTI
SUR LES SABLES ET SUR LE CADAVRE
DE SA PROPRE FILLE,
QU'IL A JETÉE À LA MER.

TU PEUX LUI ÉCHAPPER,
MAIS IL TE FAUDRA COURAGE ET PATIENCE.
JE T'AIDERAI.

BIENTÔT.

SEULEMENT LE TEMPS NE S'ÉCOULE PAS AU MÊME RYTHME POUR LES VIVANTS ET POUR LES MORTS.

«BIENTÔT»... ÇA PEUT ÊTRE DANS UN INSTANT... OU UNE ÉTERNITÉ.

SIX MOIS. UN AN.

LE TEMPS D'APPRENDRE À ATTENDRE.

LE TEMPS DE GRANDIR. DE SE SOUVENIR.

LE TEMPS POUR UNE PRINCESSE DE TROUVER UNE ÉPÉE.

NEUF

Une fois chez lui, dans son repaire secret, Trick se connecta tout de suite à internet.

Cette fois, il cherchait les ennuis – enfin, c'est ce que son ancienne prof d'informatique lui aurait dit si elle avait su ce qu'il allait faire. Mieux valait qu'elle ne soit pas au courant. Elle ne connaissait d'ailleurs sans doute même pas les forums les plus glauques du web, où les activités les plus illégales pouvaient se monnayer. Elle n'était pas sur 4chan[1], pour autant qu'il sache, et elle ne surfait sûrement pas sur le darknet. Ou, si c'était le cas, elle n'allait pas le crier sur les toits. Ce n'était pas le genre de chose dont les gens respectables et respectés se vantaient.

Trick avait beau ne pas être particulièrement respectable ni respecté, il n'était pas fan non plus du darknet. C'était encore plus glauque que son nom ne le laissait supposer, alors il préférait éviter autant que possible d'y traîner.

C'était là qu'atterrissaient les infos les plus flippantes et les plus gores… mais aussi les plus utiles, la vérité la plus crue et la plus terrible. Lorsqu'il constata que sur le forum Princess X de 4chan, les seuls posts venaient des gamins

1. « Le canal des 4 feuilles », forum japonais non modéré, créé à l'origine pour les fans de mangas, mais qui couvre actuellement des domaines beaucoup plus vastes, puisque les posts ne sont pas contrôlés. Le pire et le meilleur s'y côtoient. C'est notamment là qu'est né le mouvement Anonymous.

fans de cosplay qui échangeaient des conseils de maquillage, il fut obligé de passer du côté obscur malgré ses réticences. Là, il était sûr de trouver ce qu'il cherchait : une annonce qu'il avait vue quelques mois plus tôt. Un truc tellement ridicule qu'il avait cru à une blague. Sauf que, finalement, ce n'en était peut-être pas une.

C'était peut-être exactement ce qu'il lui fallait.

Il tapa l'URL et s'arrêta un instant avant d'appuyer sur ENTER. Voulait-il vraiment entrer dans le darknet ? C'était pactiser avec le diable, mais en pire. Quand on fait un pacte avec le diable, on sait à quoi s'attendre. Alors que, sur le darknet, on n'a aucune idée de la personne avec qui on fait affaire.

Il appuya sur ENTER quand même.

Après tout, il n'était pas obligé de faire affaire avec qui que ce soit. Il était juste là pour voir. Il retrouva le vieux post assez facilement.

> Recherche informations vérifiées sur le créateur, l'illustrateur et l'hébergeur du compte Instagram Princess X. Je cherche la fille qui dessine cette BD. Indiquez-moi où la trouver ou amenez-la-moi. JE NE POSERAI AUCUNE QUESTION. Je la connais mais je ne sais pas où la trouver et je sais qu'elle a des soutiens sérieux. J'offre 100 000 $ à qui la remettra entre mes mains. Virés directement sur le compte en banque de votre choix, anonymement si vous le souhaitez.

C'était tout. Ce type était au mieux un malade obsédé par cette BD, au pire un pédophile. En tout cas, il se débrouillait assez bien en ligne pour se balader sur le darknet sans complexe. Son pseudo, XhunterM, apparaissait un peu partout, alors c'était peut-être un hacker. Ou pire.

En plus, ces 100 000 $, il ne les avait peut-être même pas, si ça se trouve. Impossible de vérifier. Ce type d'arnaque était monnaie courante sur ce genre de site. Car, quand on fait des affaires illégales ou amorales, on ne risque pas d'aller pleurnicher chez les flics parce qu'on s'est fait avoir.

Cette annonce mettait Trick mal à l'aise, il quitta donc pour retourner sur 4chan. C'était un peu moins glauque, mais à peine. Pour vraiment changer d'ambiance et quitter ce monde aux relents puants, il se rendit sur le Reddit de Princess X. Il jetait un coup d'œil aux posts de fans pour avoir l'impression de se rendre utile, quand soudain son regard s'arrêta sur un pseudo familier.

Oui, c'était bien lui. XhunterM.

Il plissa les yeux, perplexe. Il ne voulait pas contacter ce mec sur le darknet – pas question de s'aventurer sur son terrain – mais un post sur Reddit, ça pouvait passer. Ce n'était pas vraiment traçable et, en plus, son pseudo ne donnait aucune info sur sa véritable identité. Enfin, il l'espérait.

> Hé, chasseur de princesse, ça tient toujours, cette récompense ?

Lorsqu'il tapa sur ENTER pour poster le message, sa gorge se serra. Ce n'était pas une bonne idée. Il n'allait pas aider May à retrouver son amie pour la jeter entre les pattes d'un pédophile. Mais 100 000 $, ça faisait une grosse somme. Et il avait terriblement besoin d'argent. Y avait peut-être moyen de le rouler ?

Tandis que sa conscience pesait le pour et le contre, il reçut une réponse, à peine une minute et demie après avoir envoyé son message :

> Si t'as un minimum de cervelle, oublie la récompense et toute cette histoire.

La réponse ne venait pas de XhunterM, mais d'un autre pseudo : OizoMalade3000. Intrigué, Patrick cliqua sur RÉPONDRE :

> **HAT-TRICK9 :** Mauvais pseudo. Comment t'as fait pour intercepter le message ? C'est pas à toi que je veux parler.
>
> **OIZOMALADE3000 :** J'ai piraté son compte, il ne peut plus se connecter. Mais sincèrement mieux vaut ne pas avoir affaire à lui, je t'assure.
>
> **HAT-TRICK9 :** C'est l'argent qui m'intéresse.
>
> **OIZOMALADE3000 :** Parce que ton âme est à vendre ?
>
> **HAT-TRICK9 :** J'ai jamais dit ça. Je me demandais juste si c'était vrai.
>
> **OIZOMALADE3000 :** Même si c'est vrai, bas les pattes. Si tu touches le pactole, je le récupère – et je fais en sorte que ce soit douloureux.
>
> **HAT-TRICK9 :** C'est une menace ?

Trick rafraîchit la page à plusieurs reprises pendant deux minutes mais ne reçut aucune réponse. Alors qu'il allait le relancer ou essayer de trouver une réplique spirituelle et menaçante, la réponse s'afficha :

> **OIZOMALADE3000 :** Oui, mais je vais être plus clair, Hat-Trick. Au fait, c'est nul, comme jeu de mots. Il m'a suffi d'une demi-douzaine de clics pour savoir tout ce que je voulais à ton sujet, Patrick Hobbs. Tu es fauché et aux abois, et tu as déjà failli avoir des ennuis avec la justice. Alors soit t'es pas doué en hacking, soit tu merdes quand t'es jaloux. J'espère que Samantha valait le coup de perdre ta bourse. J'ai même pitié de toi, j'espère que tu vas trouver un moyen de payer la fac à temps pour que personne ne se rende compte de rien. Mais pas par ce biais-là. Alors interprète ma réponse comme tu veux : menace ou conseil d'ami. Mais je ne veux plus te voir fourrer ton nez dans quoi que ce soit qui concerne ce compte, la princesse, ni rien de ce genre.

Ah… donc, Trick s'était sérieusement planté en s'imaginant qu'on ne pouvait pas le retrouver à partir de son pseudo. Il pesta dans sa barbe. Ce jenesaisquoimalade devait avoir accès aux données de son fournisseur d'accès… ou… ou un truc du genre. Un traçage d'adresse IP… pas impossible, mais pas évident non plus. Ce gars était soit très tordu, soit très doué. Sans doute les deux. Il était plus fort que lui, en tout cas, même si Trick n'avait aucunement l'intention de le reconnaître.

Et il n'allait pas se laisser intimider. Pas aussi facilement, tout du moins. Il avait encore de quoi bluffer. Et il ne se gêna pas.

> **HAT-TRICK9 :** Très impressionnant. Tu sais traquer un identifiant. Mais, si c'est tout ce que tu as en réserve, tu n'es pas le « soutien sérieux » censé aider la princesse.

> **OIZOMALADE3000 :** Oui, j'ai vu ce post. Mais arrête le darknet, gamin. Le gars qui propose cette récompense est un tueur et il n'hésitera pas à descendre un petit hacker comme toi. Si tu me crois pas et que tu saches la moitié de ce que tu crois savoir, alors tu devrais te demander : mais où est passé le père de Princess X ? Et tu devrais chercher la réponse sur internet. Puis quitter le site et faire comme si tu n'en avais jamais entendu parler.

En pestant, Trick se déconnecta de Reddit. Pour être honnête, cet Oizomalade avait certainement raison – il n'y avait sans doute pas un dollar à gagner et il ne risquait que de s'attirer des ennuis. Et, même s'il avait besoin d'argent, son âme valait sans doute plus que 100 000 $ – quoi qu'en pensent certains crétins d'internet.

Mais il était convaincu que le gars qui avait posté cette annonce pouvait être Mister Bones. Parce que qui d'autre pouvait avoir un tel intérêt dans l'histoire ? Personne, à part le kidnappeur qui essayait de récupérer celle qu'il avait kidnappée. Et May, aussi.

Et puis ce qu'avait dit Oizomalade le tracassait : le père de la princesse... Effectivement, il ne se rappelait pas avoir vu une seule référence à lui dans la BD, mais il n'avait pas tout lu. Seulement des bribes çà et là, quand il tombait sur un lien annonçant la suite.

Alors son père, il était où ?

May lui avait dit que le père de Libby était retourné à Detroit ou un truc comme ça après la mort présumée de sa femme et de sa fille. Il lui fallut dix minutes de balade dans les allées plus claires et simples de l'internet classique pour trouver un nom et une adresse dans le Michigan.

Mais cinq minutes de plus le menèrent à une vieille archive de fait divers.

Et il faillit avoir une crise cardiaque.

UN HOMME RETROUVÉ MORT DANS UNE DÉCHARGE À NORTHGATE

Le corps d'un ancien employé de Microsoft a été retrouvé dans une décharge derrière le centre commercial de Northgate.

LE BON MOMENT
FINIT PAR ARRIVER.

QU'EST-CE QUI
SE PASSE?
POP
L'ORAGE A DÛ FAIRE
SAUTER LES PLOMBS.
NE BOUGE PAS.
J'AI PEUR.

MAIS NON,
JE VAIS CHERCHER
DES BOUGIES.
OU MÊME
LA TORCHE.

HÉ, TU N'AURAIS PAS
VU LA TORCHE?

JE NE LA TROUVE
PAS.

BIEN SÛR QUE NON,
CRÉTIN.

PAR ICI. SUIS-MOI.
NOOOOOON

PROCHAIN
FERRY
DEMAIN MATIN
DÉPART 6H00

POUR LA DEUXIÈME FOIS
DE SA VIE,
PRINCESS X DISPARUT
AU MILIEU DES FLOTS.

DIX

Lorsqu'elle entendit la clé dans la serrure, May referma aussitôt son ordinateur portable.

C'était un réflexe et elle s'en voulut. Son père savait qu'elle menait l'enquête sur Princess X, et de toute façon les infos qu'elle avait recueillies jusqu'à présent n'étaient pas classées top secret. Certaines conversations de fans sur le forum confinaient au ridicule. Ils analysaient tout, de la nuance de rouge choisie pour les baskets de la princesse à la numérologie des noms de personnages, pour essayer d'y trouver une signification mystique. Certains gamins étaient tellement sortis de la réalité, qu'à leurs yeux plus rien n'existait d'autre que les ninjas, le code d'honneur, la culture guerrière.

Son père demanda depuis le salon :

– May, tu es là ?

– Ouais, je suis dans ma chambre, répondit-elle.

Elle vérifia si son ordi était bien branché – car Trick avait raison, il avait suffi de le recharger complètement pour qu'il fonctionne à nouveau parfaitement – puis elle se leva pour aller lui dire bonjour. Elle commençait à avoir des fourmis dans les jambes, de toute façon.

Elle se rendit dans le salon, où son père déposa un sac en papier sur la table basse.

– Tu es rentré tôt, remarqua-t-elle. Tu disais le contraire dans ton message.

– Il est sept heures passées, répondit-il en désignant l'horloge murale du menton.

– Oh... Ah oui... alors tu rentres tard.

– En fait, j'ai fini plus tôt, mais je me suis arrêté en chemin. Tu as faim ?

– Je mangerais bien une pizza. Si jamais quelqu'un décidait d'en commander une, bien sûr...

– Quelqu'un... du genre, moi ?

Sur le frigo, un aimant retenait le prospectus d'un livreur de pizzas du quartier. Son père le prit tout en sortant son téléphone de sa poche.

– Tu as une envie particulière pour la garniture ?

– Rien qui ait des yeux morts.

– Pas d'anchois : compris !

– Non, non, rien d'autre qui ait des yeux. Freine ta créativité, papa !

Il lui sourit tout en composant le numéro pour commander un truc sans doute au moins un peu répugnant, parce que c'était leur petit jeu. Elle s'assit devant la télé pour zapper, mais il n'y avait rien d'intéressant, aussi ferma-t-elle les yeux, la tête appuyée contre le mur. Elle s'attendait à ce que son père vienne s'asseoir à côté d'elle et mette une chaîne d'infos. Cependant, il s'installa dans le fauteuil et baissa le volume au minimum. Elle rouvrit les yeux tandis qu'il poussait vers elle le sac en papier qu'il avait posé sur la table basse.

– Qu'est-ce que c'est ? demanda-t-elle.

– C'est pour toi. Tout ce que j'ai pu dénicher à la bibliothèque.

Il s'agissait surtout de liasses de photocopies retenues par des trombones.

– Ça concerne... la nuit... de l'accident, bafouilla-t-elle.

Ce fameux accident qui n'en était pas un. La nuit où Mme Deaton était morte.

– Ouaip. J'ai compilé les articles parus dans les deux semaines suivantes. Je sais que tu fais des recherches sur internet, mais les sites ne conservent pas les archives éternellement. Je me suis dit qu'au cas où tu te retrouverais dans une impasse, ça pourrait t'aider. Regarde celui-ci. Il est daté du 6, mais ils ont mis quelques jours à retrouver la voiture, puis à la hisser hors de l'eau.

– Je m'en souviens, murmura-t-elle en prenant les premières feuilles.

DISPARITION D'UNE MÈRE ET DE SA FILLE
ON CRAINT UN ACCIDENT SUR LE PONT
LES AUTORITÉS RECHERCHENT LE VÉHICULE

– Et quelques jours plus tard ils ont retrouvé Libby, reprit son père.

– Ce n'était pas Libby, chuchota-t-elle.

CORPS DE LA CONDUCTRICE IDENTIFIÉ

Son père toussota.

– C'était en tout cas une adolescente qui portait les vêtements de Libby et qui avait sa carte de cantine dans la poche.

LES RECHERCHES SE POURSUIVENT
POUR RETROUVER LA FILLE

– C'est comme ça que son père a identifié le corps ? Mais si elle avait passé une semaine sous l'eau...

Elle laissa sa phrase en suspens.

– Oui, une semaine sous l'eau. C'est pour ça qu'il y avait un cercueil fermé à l'enterrement, tu te rappelles ?

Elle aurait préféré oublier.

LE CORPS REPÊCHÉ À LA MARINA
SERAIT CELUI DE L'ADOLESCENTE DISPARUE

Elle leva le nez des journaux. Ces gros titres la faisaient loucher.

– Ils ont pratiqué des tests ADN ? demanda-t-elle. Ils n'enterrent quand même pas les gens comme ça, en espérant que le corps et la stèle vont correspondre comme par magie ?

– Je doute qu'il y ait eu ce genre de test, reconnut-il. Ça coûte cher et aucune autre disparition avec une description similaire n'avait été signalée. La carte au nom de Libby leur a semblé une preuve suffisante, j'imagine. Il n'y avait aucune raison de penser que ça pouvait être quelqu'un d'autre.

Mais les paroles de la Reine Fantôme résonnaient dans sa mémoire : *Le royaume de Mister Bones est bâti sur les sables et sur le cadavre de sa propre fille, qu'il a jetée à la mer.* Alors elle dit à haute voix :

– C'était sa fille à lui. Elle est morte, il a échangé les corps. Il a jeté sa propre fille dans la baie pour la faire passer pour Libby.

– Qui ? Mister Bones ?

Elle le dévisagea, plissant les yeux.

– Tu as lu *Princess X* ?

– Internet est plein de mystères, certains sont plus faciles à résoudre que d'autres.

– On peut *tous* les résoudre, affirma-t-elle en réunissant le tas de papiers sur ses genoux. Tous jusqu'au dernier. Y compris celui-ci. Hé, papa ?

– Quoi ?

– Merci.

– De rien, répondit-il, un peu gêné. Je... je m'en veux, tu sais... qu'on ne t'ait rien dit... Et maintenant tu sais, alors...

– Ouais, maintenant je sais.

– Ça t'aidera peut-être à éclairer certains points de la page Instagram...

– Ça vaut le coup d'essayer.

Elle baissa les yeux vers la liasse d'articles imprimés.

Elle était prête à tout essayer.

Quelques minutes plus tard, le livreur de pizzas sonna, ils rangèrent donc la documentation. En fait, le seul ingrédient bizarre que son père avait fait rajouter, c'était du maïs grillé. Non, mais sincèrement... qui voudrait payer pour faire ajouter du maïs grillé ? Surtout sur une pizza ? Son père avait vraiment un problème.

Après manger, elle lui souhaita bonne nuit et retourna dans sa chambre, son paquet de photocopies sous le bras. Elle ouvrit son ordinateur, qui avait maintenant PrincessX en page d'accueil.

L'écran s'alluma. Le système se relança, et le conte de fées commença pour de vrai.

May lut, lut, lut jusqu'au bout de la nuit.

SILVERSTAR
SILVERSTAR
LE ROYAUME DE LA PRINCESSE
EST EN RUINE.

CI-GÎT NOTRE REINE BIEN AIMÉE
LA REINE EST MORTE.

LE ROI EST EN EXIL.

ET LA PRINCESSE A ÉTÉ ENLEVÉE.

MAIS CE N'EST QUE TEMPORAIRE.

LES CLÉS DU ROYAUME T'APPARTIENNENT.

MAIS C'EST MISTER BONES QUI LES A. IL LES GARDAIT SUR LUI. JE N'AI PAS PU LES LUI REPRENDRE.

NON, IL NE LES AVAIT PAS SUR LUI. IL LES A ÉPARPILLÉES ET NOUS POUVONS LES RETROUVER.

QUAND NOUS LES AURONS, NOUS SERONS LIBRES À JAMAIS.

Dans les aventures qui suivaient, la princesse et sa mère progressaient dans leur quête des Quatre Clés : un masque doré, un coffret rouge et un miroir noir. La quatrième clé était une fille grise. Ce qui faisait de Libby la dernière pièce du puzzle, semblait-il. Libby pourrait vaincre Mister Bones et se libérer, et libérer son royaume définitivement. Quant aux trois autres clés... May y réfléchit tout en feuilletant la documentation que son père lui avait si gentiment fournie. Ces clés devaient avoir une correspondance dans le monde réel – puisque Libby était la version réelle de la fille grise. Mais qu'est-ce que ça pouvait bien désigner ? Un masque, un coffret, un miroir. Ça pouvait être n'importe quoi... Sauf que Libby avait dû faire des allusions, ou laisser des indices. May devait tout relire avec attention, et elle trouverait.

En listant les possibilités, elle découvrit que son père avait raison, pour les archives. Ses recherches internet sur l'affaire Deaton débouchèrent rapidement sur des pages « 404-NOT FOUND ». C'était ridicule... ça ne faisait que trois ans. Certaines pages avaient été enregistrées, si bien qu'elle put y avoir accès, mais pour la plupart elle eut l'impression de chercher au mauvais endroit. Elle avait tous les indices en main, mais elle avait beau suivre les différentes pistes, elle se retrouvait sans arrêt dans une impasse. À mesure qu'elle s'enfonçait dans l'histoire, elle avait l'impression de perdre le fil. Elle s'éloignait de son objectif.

Cependant elle n'avait aucun doute.

Elle savait que Libby était en vie et qu'elle essayait, par ses dessins, de lui dire quelque chose – de lui demander de l'aider ou de la libérer. C'est juste qu'elle ne voyait pas du tout comment. Elle était à des années-lumière de la solution. Encore plus loin que si Libby était vraiment morte.

Car quand Libby était morte, au moins, May savait où la trouver.

CAPITAINE
DE LA GARDE

J'AI PEUR QUE ÇA NE SE PASSE PAS TRÈS BIEN.

CE SONT LES HOMMES DE LA GARDE ROYALE. ILS VONT SE SOUVENIR DE MOI ET M'AIDER À TROUVER LES CLÉS.

HÉLAS, TOUT A CHANGÉ, MA CHÉRIE. TU AS CHANGÉ. ILS ONT CHANGÉ.

HALTE-LÀ.

MAIS JE SUIS PRINCESS X!
JE ME SUIS ÉCHAPPÉE DU REPAIRE DE MISTER BONES.
JE VIENS VOUS DEMANDER DE L'AIDE.

PRINCESS X EST MORTE.
MISTER BONES NOUS A AVERTIS QUE NOUS AURIONS LA VISITE D'UNE USURPATRICE – UNE JEUNE FILLE PORTANT SES VÊTEMENTS ET SON ÉPÉE.

MAIS JE NE SUIS PAS
UNE USURPATRICE!

MISTER BONES NOUS A PARLÉ
D'UNE FOLLE.
UNE JEUNE FILLE
TRÈS PERTURBÉE.

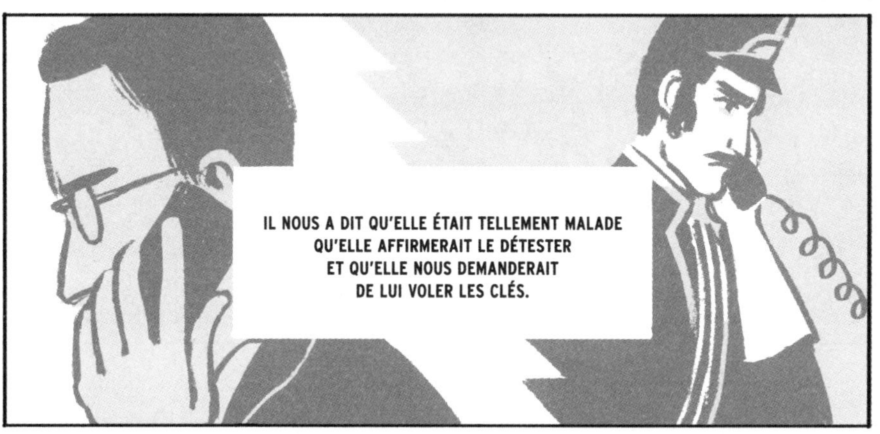
IL NOUS A DIT QU'ELLE ÉTAIT TELLEMENT MALADE
QU'ELLE AFFIRMERAIT LE DÉTESTER
ET QU'ELLE NOUS DEMANDERAIT
DE LUI VOLER LES CLÉS.

VOUS REPRÉSENTEZ UN DANGER
POUR VOUS-MÊME ET POUR LES AUTRES.
VOUS DEVEZ NOUS SUIVRE.
NOUS ALLONS VOUS AIDER.

NON!

DÉSOLÉE, MAIS LA GARDE ROYALE NE NOUS SERA D'AUCUNE AIDE. NE LEUR EN VEUX PAS. CE N'EST PAS LEUR FAUTE... PAS COMPLÈTEMENT.

JE TROUVERAI UN AUTRE MOYEN.

TU AS TOUJOURS ÉTÉ TRÈS DOUÉE POUR IMAGINER D'AUTRES SOLUTIONS. C'EST TA PLUS GRANDE FORCE.

JE VAIS ME SERVIR DE CE QUE J'AI. QUELQU'UN QUI ME CONNAÎT ET QUI ACCEPTERA DE M'AIDER. JE VAIS ALLER VOIR MON PÈRE.

May avait besoin de parler, aussi le lendemain, oubliant toute prudence, elle appela Trick et lui proposa de venir chez elle. Il savait déjà qu'elle habitait l'immeuble et, s'il était si doué que ça en informatique, il avait déjà son adresse. En fait, il n'avait qu'à regarder les boîtes à lettres dans le hall. Parfois, la solution la plus simple n'est pas numérique.

Il frappa à la porte pile à l'heure dite, tout ébouriffé et un peu stressé. Il jeta un coup d'œil par-dessus son épaule.

– Tu vis avec ton père, c'est ça ?

– Il est au bureau. Entre.

– Ça ne le dérange pas que je vienne chez lui ? Tout seul avec toi ? En son absence ?

Elle fronça les sourcils.

– Pourquoi ? Tu veux tenter un truc ?

– Quoi ? *Non !*

Il haussa les épaules, comme s'il avait pris une résolution, puis déclara :

– Tu sais quoi ? Tant pis. On n'aura qu'à lui dire que j'ai réparé ton ordi ou un truc comme ça. De toute façon, c'est un peu vrai.

Elle lui tint la porte pour le laisser entrer.

– Sauf que tu ne peux pas le réparer s'il n'est pas cassé. Et pas la peine d'inventer des salades. Il me fait confiance.

– C'est vrai ?

– Plus ou moins. Je ne sais pas s'il a vraiment confiance en moi ou s'il se moque de ce que je fais de mes journées. Enfin, bref, il ne va pas te tuer s'il te surprend ici.

– Très rassurant.

Trick se laissa tomber sur le canapé et posa sa sacoche sur la table basse. Tout le monde jetait ses affaires sur cette table, réalisa May. C'était le point central de l'appartement. Elle alla chercher à boire dans la cuisine.

Trick se détendit un peu.

– Je ne veux pas t'attirer d'ennuis.

Elle passa la tête dans le salon en répondant.

– Je ne suis pas une petite fille modèle, t'inquiète. C'est juste que je ne m'intéresse à aucun des trucs que mes parents pourraient vraiment réprouver. Tu veux un Coca ?

– Ouais, parfait.

Ils ouvrirent leur canette pile en même temps.

Trick demanda :

– Alors tu as poursuivi ta lecture hier soir ?

Elle lui répondit que oui, elle était allée assez loin dans la BD.

– J'ai aussi consulté les docs que mon père m'avait rapportés.

Elle désigna la liasse de feuilles qu'elle avait laissée sur la table.

– C'est quoi ? demanda-t-il en se penchant pour regarder.

– Des rapports de police, des articles de presse, ce genre de trucs… à propos du meurtre de Mme Deaton.

– Mmm…

Il contempla pensivement la paperasse, examinant les documents un à un.

– Je me souviens de cette affaire. Je me rappelle avoir vu la photo de la fille aux infos et avoir pensé qu'elle était mignonne. C'est dingue ! Je n'aurais jamais fait le rapprochement entre cette histoire et le compte Instagram. Ça ne colle pas parfaitement, mais il y a de quoi échafauder une bonne théorie du complot.

– Comment ça, « ça ne colle pas parfaitement » ? Il y a l'eau, la mère abattue, la fille...

Il la coupa :

– Oui, mais il n'y a pas d'île et pas de kidnapping... pour autant qu'on sache. Comme la partie « réelle » de l'histoire est assez courte, les lecteurs n'y prêtent pas grande attention. Ils s'intéressent davantage à tout ce qui est fantastique. Personne n'a aucune raison de soupçonner que l'histoire ancrée dans le monde réel... est bien réelle, justement. Sauf toi... et maintenant, moi. Tu m'as convaincu.

– Tant mieux. Attends... mais pourquoi ?

– Parce que j'ai découvert ce qui était arrivé au père de Libby dans la vraie vie.

– Qu'est-ce que tu racontes ? Son père est retourné à Detroit, je te l'ai dit.

– Oui, mais il n'est pas mort là-bas. Tu savais qu'il était mort ?

Elle le dévisagea.

– Non...

Sa voix s'étrangla. Elle s'éclaircit la gorge et reprit :

– Je ne le connaissais pas très bien. C'était juste le père de mon amie, quoi. Je ne l'avais pas revu depuis l'enterrement. Mais il... il est vraiment mort ? Quand ? Comment ? Qu'est-ce qui s'est passé ?

– Lis le chapitre du Vieux Roi dans la BD. La princesse l'appelle à l'aide... mais il ne parvient pas à la rejoindre. Mister Bones le tue et jette son corps dans l'Abîme Infini.

– Oh, mon dieu... tu veux dire que... ?

Il ouvrit sa sacoche et en tira un article datant de deux ans qu'il avait déniché sur internet.

Lorsqu'elle eut fini de le lire, May avait la gorge tellement sèche qu'elle n'était même pas capable de tousser.

– Une décharge ? M. Deaton a été abattu d'une balle dans la tête et jeté dans une décharge ? Mais... comment se fait-il que je n'aie pas été au courant ? se demanda-t-elle.

Elle vérifia la date et se rendit compte que cela s'était produit au moment où elle vivait avec sa mère à Atlanta.

– Ce n'est sûrement pas passé dans les journaux nationaux.

– Non. Il y a des gens qui se font tuer tous les jours, aux quatre coins du pays. On ne peut pas tous les lister, affirma Trick.

– Tu es vraiment doué pour réconforter ton prochain, on te l'a déjà dit ?

– Je fais ce que je peux.

Il voulait sans doute prendre un ton ironique, mais il avait surtout l'air d'un gros naze et il s'en rendit compte.

– Enfin... je veux dire... je suis désolé.

– Et tu dis qu'il y a un passage là-dessus dans la BD ?

– Oui. Le Vieux Roi. Tu n'as qu'à le lire. C'est un chapitre sympa. Enfin... non, s'empressa-t-il de corriger. Ce n'est pas sympa du tout, surtout maintenant que je sais que ça fait référence à un vrai meurtre qui est arrivé à un vrai type. Mais c'est intéressant.

– Je comprends ce que tu veux dire. Je vais le lire... mais je n'arrive pas à y croire.

– Moi non plus. Au début, je ne te croyais pas, avoua Trick. Mais là... ça m'a achevé... oh, mince, désolé, je ne voulais pas...

– Tu ferais peut-être mieux de te taire, suggéra May.

– Je suis tout à fait d'accord. Seulement, avant, je voulais te dire. Mister Bones... qui qu'il soit en réalité... je pense qu'il la cherche, comme nous. Il offre même une récompense à quiconque pourra la retrouver. Et si c'est lui qui a tué son père... il est méga-dangereux.

– Il a tué Mme Deaton et kidnappé Libby, renchérit May. Il est visiblement méga-dangereux. Mais qu'est-ce que c'est que cette histoire de récompense ? Où ça ? Tu peux me montrer ?

– Euh... Hum... je ne sais pas si je vais retrouver la page, bafouilla-t-il.

Jamais de sa vie May n'avait été aussi sûre qu'on lui mentait.

– Mais c'était lui, c'est certain. S'il s'agissait juste d'un père qui essaie de retrouver sa fille qui a fugué, il passerait par les moyens classiques, publics. Il ne rôderait pas sur le darknet. Il faut être super prudents, conclut-il d'un ton grave. Faire profil bas et ne surtout pas attirer son attention.

Elle lui rendit l'article.

– C'est le plan depuis le début, affirma-t-elle. On trouve qui écrit Princess X, l'un des plus grands mystères de notre temps, on résout un kidnapping et deux meurtres, sans se faire remarquer.

– C'est impossible de ne pas laisser de traces sur internet, la détrompa-t-il. Pas vraiment, malgré tout ce qu'on raconte. On peut toujours te pister.

– On dirait un de ces conspirationnistes complètement paranos !

Le regard qu'il lui lança lui confirma qu'elle avait touché un point sensible.

– Je suis simplement réaliste. Si je suis inquiet, alors tu devrais être inquiète.

Il vida sa canette.

– Donne-moi le code du wi-fi. Pendant que tu lis, je continuerai mes recherches sur le net.

CI-GÎT NOTRE ROI BIEN-AIMÉ
CI-GÎT NOTRE REINE BIEN-AIMÉE
CE N'EST PAS TA FAUTE.

MAIS C'EST MOI QUI L'AI APPELÉ AU SECOURS. MISTER BONES M'AVAIT POURTANT PRÉVENUE QU'IL TUERAIT QUICONQUE TENTERAIT DE ME VENIR EN AIDE.

JE VOULAIS TELLEMENT RENTRER À LA MAISON.

UN JOUR, TU POURRAS.
MAIS PAS AVANT QUE NOUS AYONS TROUVÉ LES QUATRE CLÉS. METTONS-NOUS EN QUÊTE DE LA PREMIÈRE: LE MASQUE D'OR.

CI-GÎT NOTRE ROI BIEN-AIMÉ
CI NO REIN
JE NE SAIS PAS OÙ CHERCHER. TOUTE SEULE, JE N'Y ARRIVERAI PAS. J'AI BESOIN D'AIDE... MAIS PERSONNE NE PEUT M'AIDER.

MOI, JE PEUX. TU AS UN DON POUR TROUVER LES CHEMINS CACHÉS. TU AS LES FANTÔMES, LES LOUPS, ET LE PRINCE DES CHATS DE LA NUIT. MIEUX ENCORE TU AS LE CORBEAU, QUI GARDE TES SECRETS ET TE PROTÈGE.

À CAUSE DE MOI, ILS SONT TOUS EN DANGER.
ET ILS SONT UN DANGER POUR LES AUTRES.

J'ESPÈRE QUE TU AS RAISON. SEULEMENT, ILS NE PEUVENT PAS M'AIDER À TROUVER LE MASQUE D'OR. CAR ILS ONT DÉJÀ ESSAYÉ, SANS SUCCÈS.

IL Y A UNE MARE AUX SOUHAITS DANS LA FORÊT DU SOMMEIL. LÀ-BAS, LE PRINCE DES CHATS ME PROTÉGERA.

JE SUIS À LA RECHERCHE D'UN MASQUE D'OR
QUI NOUS LIBÉRERA DE MISTER BONES,
MON ROYAUME ET MOI.
PEUX-TU ME DIRE OÙ LE TROUVER?

OUI,
MAIS IL NE
T'AIDERA PAS
À VAINCRE
TON ENNEMI.
PAS SEUL.

NON, PAS SEUL, MAIS C'EST
LA PREMIÈRE PIÈCE
DU PUZZLE,
ET JE DOIS LA TROUVER.

ALORS VA À LA TASSE NOIRE.
TU LA TROUVERAS LÀ-BAS,
AU FOND DU CALICE VIDE.
TU DEVRAS L'ARRACHER AUX FLAMMES.

ONZE

– C'est là ! Oui, dans ce passage…

May tapota l'écran du doigt. Cela faisait deux heures qu'elle lisait.

– Quoi ? demanda-t-il en se perchant sur le bord du canapé, intrigué.

Elle tourna l'ordinateur vers lui.

– Là. Regarde le texte de cette bulle : « Alors va à la Tasse Noire. Tu le trouveras là-bas, au fond du Calice Vide. Tu devras l'arracher aux flammes. »

– Et ?

– Il y avait un café, au pied de la colline, qui s'appelait le Black Tazza. Libby et moi, on y passait des heures.

– Ouais, je m'en souviens. Ça a fermé il y a deux ans, ils ont ouvert un autre truc à la place.

– C'est une grande chaîne de cafés qui l'a racheté. Et justement « tazza », ça veut dire « tasse » en italien ! annonça-t-elle triomphalement. Je le sais parce qu'un des serveurs essayait de nous impressionner en nous sortant ce genre de truc, alors qu'on était mille fois trop jeunes pour lui.

Trick arborait un sourire jusqu'aux oreilles, tempéré cependant par un regard un peu perplexe.

– Tu penses qu'il y a une vraie clé… dans la réalité ? Cachée dans le café ?

– Exact ! La tasse noire, le calice vide. Un mug, c'est une sorte de calice, non ?

– Peut-être… mais c'est un peu tiré par les cheveux.

– Je sais, fit-elle en se levant d'un bond. Mais on y verra plus clair sur place. Alors tu viens ou pas ? Une petite balade nous fera le plus grand bien.

Il se mit debout nonchalamment, jetant sa sacoche sur son épaule.

– OK ! C'est parti.

Ils prirent le bus numéro 12, assis entre une vieille dame en tailleur violet et un gros bonhomme en tongs. Il y en avait pour vingt minutes à pied, cependant May avait jugé que ça valait le coup de dépenser quelques dollars pour s'épargner de marcher.

Trick appuya sur la sonnette pour descendre lorsqu'ils arrivèrent en vue du café. Mais, une fois devant, ils eurent l'impression de s'être trompés d'adresse.

La moitié des bâtiments avait disparu, détruite par les bulldozers qui sillonnaient les gravats. Tout ce qui restait était interdit d'accès.

– Qu'est-ce qui est arrivé ? murmura May. Je suis passée il y a deux-trois jours. C'était fermé mais…

– Les promoteurs ne perdent pas de temps dans le coin, pesta Trick. Regarde, ils vont construire des appartements. Ils conservent l'ancienne façade pour garder un « cachet historique » et faire payer le double. Mais il reste une partie des bâtiments, on est peut-être arrivés juste à temps.

Elle scruta d'un œil incrédule les vitrines qui restaient. Effectivement, celle du café était encore debout. Elle avait été dépouillée. Il ne restait que la marque de l'enseigne au-dessus de la porte et les horaires à moitié effacés peints sur une des vitres. Elle désigna le gros cadenas et la chaîne qui verrouillaient la porte.

– C'est fermé, comment on va faire pour entrer ?

Il lui donna un petit coup de coude dans les côtes en souriant.

– Tu n'es pas une petite fille modèle, hein ? Ils ont démoli tout l'arrière du bâtiment, comment veux-tu qu'ils aient condamné l'accès de l'autre côté ?

– Ça t'arrive souvent de t'introduire sur une propriété privée ? demanda-t-elle d'un ton qu'elle voulait détaché et surtout pas inquiet.

Elle se demandait si ça la rassurerait de savoir qu'il avait l'habitude de ce genre de chose... ou tout le contraire.

– Le plus souvent en milieu numérique, mais ça m'arrive dans la réalité. De temps en temps, ajouta-t-il en l'entraînant de l'autre côté.

– Tu t'es déjà fait prendre ?

– Une ou deux fois.

– Et... ils t'ont arrêté ? Relâché ? Qu'est-ce qu'ils t'ont fait ?

– Ils m'ont relâché une fois que ma mère a eu payé la caution, annonça-t-il. Mais t'inquiète, on va faire attention.

– Tu n'as pas été prudent la dernière fois ?

– Pas assez.

Il parcourut du regard la zone interdite d'accès.

– Mais ça va être beaucoup plus facile que de sortir d'un centre commercial en pleine nuit. Ça va nous prendre deux minutes et personne n'en saura rien.

En fin de compte, ça ne la rassurait pas du tout de savoir qu'il avait l'expérience de ce genre de chose.

Tout le pâté de maisons était entouré d'une clôture temporaire – un truc orange en plastique, comme un immense filet de pêche, tendu entre des poteaux métalliques et orné de dizaines de panneaux suggérant à ceux que l'effraction tentait de trouver une autre occupation, légale et autorisée. Trick les ignora et s'approcha d'un coin du filet, qu'il souleva comme une jupe de fille.

– T'as vu ? C'est pas bien compliqué ! Allez, vas-y !

– La première ?

– Je te suis.

Elle se mit à quatre pattes pour ramper sous le filet. Tandis qu'elle l'attendait de l'autre côté, elle leva les yeux et repéra une bonne centaine de fenêtres par lesquelles un voisin pouvait les apercevoir et appeler la police pour la prévenir que deux gamins rôdaient sur un chantier.

Trick passa devant elle, enjambant les gravats, sautant comme un cabri de décombre en décombre. Il s'appuyait sur les poteaux métalliques pour reprendre son équilibre. May l'imita. Cela semblait facile vu de l'extérieur, un peu comme traverser un terrain de jeux, sauf qu'en réalité c'était plutôt comme faire de l'escalade sans matériel.

– Une fois qu'on sera à l'intérieur..., commença-t-il en prenant son élan pour bondir, personne ne pourra nous voir.

– À moins qu'il y ait des caméras de surveillance.

Il lui jeta un coup d'œil par-dessus son épaule, sourcils froncés.

– Pourquoi tu dis des trucs pareils ? Tu ne veux pas profiter un peu de l'aventure ?

– Si, mais...

Elle désigna le coin de la rue, où les engins de démolition étaient garés. Ce qui avait tout l'air d'une grosse caméra était monté au sommet d'une immense perche, surplombant le désastre post-apocalyptique qu'ils s'efforçaient de traverser.

– Oh…, fit-il. C'est sans doute simplement dissuasif. La plupart du temps, ça n'enregistre même pas, ce genre de machin. Mais dépêchons-nous, au cas où.

– Au cas où, répéta-t-elle en dévalant comme un toboggan une barre de béton.

Trick était presque à l'arrière du bâtiment, ou tout du moins ce qu'il en restait. Il avait visiblement été coupé en deux, mettant à nu ses entrailles, une vision triste et choquante. Tuyaux de salle de bains et carrelages se retrouvaient en plein air, tandis que les matériaux d'isolation claquaient au vent, dégageant une odeur piquante d'humidité. Il se faufila dans l'un des trous béants et tendit la main à May.

– Viens. On y est. Tu vois, pas besoin d'entrer par effraction, c'est déjà ouvert.

Elle lui prit la main et il l'aida à se hisser de quelques dizaines de centimètres. Ils se retrouvèrent au pied d'un muret de briques qui se terminait abruptement.

– On est où, à ton avis ?

– Dans la pizzeria, je crois.

Effectivement, le comptoir avait été poussé le long d'un mur, et un menu était tracé à la craie sur un tableau noir. Le mot *pepperoni* lui sauta aux yeux.

– Oui, c'est bien la pizzeria.

Trick paraissait un peu perdu. Il balayait du regard cet endroit étrange et désolé.

– Bon, et maintenant, par où on va ?

– À droite, affirma-t-elle d'un ton assuré. Tu vois le couloir qui était au milieu, d'où l'on pouvait accéder à tous les magasins ? C'est là qu'il y avait les toilettes communes. Mince, je ne vois rien là-bas, dans le fond. Tu as une lampe ? L'appli torche de mon téléphone n'est franchement pas terrible.

– J'ai une petite lampe.

– Ça ira.

– Vraiment petite. C'est un porte-clés. On aurait dû en emporter une vraie.

– Je ne savais pas qu'ils étaient en train de tout démolir. Et toi ?

Il secoua la tête.

– Non, mais quand même on aurait dû mieux se préparer.

Quand il appuya sur le bouton, elle entendit un léger cliquetis.

Il n'exagérait pas : sa lampe produisait à peine plus de lumière que son téléphone. May regarda autour d'elle : ils étaient dans la salle de restaurant de la pizzeria. Dans leurs cadres, des photos de brochures de voyages pendaient tout de travers. Les banquettes étaient couvertes d'une fine couche de poussière.

– Hum… je crois qu'il faut aller par là.

– Tu n'as pas l'air très sûre de toi.

– Non, mais c'est soit par ici, soit par là…

Elle désigna la direction opposée.

– Et c'est de là qu'on vient.

Enhardie par sa logique implacable, elle lui prit le porte-clés torche des mains.

– Hé ! protesta-t-il.

– C'est moi le guide ou pas ?

Le couloir avait beau être d'une taille normale, ils avançaient courbés, guettant le moindre bruit qui leur signifierait qu'ils n'étaient pas seuls. S'ils n'avaient eu aucun mal à pénétrer à l'intérieur, n'importe qui pouvait avoir eu la brillante idée de venir fouiner dans les ruines. La petite lampe éclairait juste assez pour baigner les lieux d'une ambiance vraiment lugubre et sinistre. May avançait lentement, Trick sur les talons, presque plaqué contre elle. Dans d'autres circonstances, elle n'aurait sûrement pas apprécié de sentir le souffle du garçon dans sa nuque ni les coups de coude et de genou constants dans son dos et ses jambes. Mais en cet instant précis elle était contente qu'il soit là.

Ils arrivèrent devant une grande porte peinte en rouge surplombée d'un panneau SORTIE rouge et blanc.

Elle hocha vigoureusement la tête.

– C'est par là.

Elle s'appuya contre la barre d'ouverture de sécurité. La porte s'ouvrit avec un cliquetis.

– Cool, murmura-t-il. J'avais peur qu'elle soit verrouillée.

– Moi aussi.

Ils se figèrent dans un même mouvement. S'il faisait déjà sombre dans la pizzeria, il faisait encore plus noir ici. Le faisceau de leur lampe semblait vraiment minuscule comparé à cet immense bâtiment, pourtant coupé en deux et à moitié démoli.

– C'est par où ? demanda-t-il.

Elle se concentra.

– Si on était dans le fond de la pizzeria, alors le Black Tazza était sur la droite. Allons vers la droite, on verra bien ce qu'on trouve, déclara-t-elle sans se mettre en route cependant.

Ils parlaient pour combler le silence, comme des gamins qui ont peur du noir.

– Les demoiselles d'abord.

– Encore ?

– Bon, d'accord, rends-moi la lampe et je passe devant.

– Non, non, j'y vais, j'y vais.

– Décide-toi.

Elle se remit en marche. À petits pas lents, dans ce couloir d'un noir d'encre. Elle avait l'impression d'avancer dans un souterrain menaçant de s'effondrer à tout instant. Trick était encore plus collé à elle, le souffle court. Ils ne parlaient même plus. Le seul bruit était le crissement de leurs pieds qui cognaient dans les gravats et trébuchaient sur les dalles cassées. Quelque part dans le lointain, on entendait de l'eau goutter.

May aperçut alors une porte sur la gauche.

– C'est les toilettes du Black Tazza. On est sur la bonne voie.

Elle n'arrêtait pas de se répéter qu'ils n'étaient pas sous terre. Ils erraient simplement dans un bâtiment si décrépit qu'il n'existerait plus dans moins d'une semaine. C'était le truc le plus ridicule et le plus dangereux qu'elle ait jamais fait. Et si elle s'était trompée sur cette histoire d'indices cachés dans le monde réel ? Si ça se trouve, ils avaient fait tout ça pour rien – tout ce qu'ils allaient y gagner, c'était des égratignures, des bleus… et peut-être un rappel de vaccin antitétanique.

– Par là. C'est cette porte.

Elle saisit la poignée, qui refusa de bouger.

– Verrouillée ?

– Oui, c'est fermé à clé.

– OK, fit Trick. Pas de panique.

– Je ne panique pas, affirma-t-elle.

– Tant mieux. Parce que j'ai ça dans ma poche.

Il en tira un canif, dont il déplia la lame.

Elle fronça les sourcils.

– On peut crocheter une serrure avec un canif ?

– Sûrement. Et d'abord ce n'est pas un simple canif. C'est un couteau suisse.

Sauf que ce « sûrement » se révéla être un « non ». La serrure refusa de céder sous les coups des différentes lames avec lesquelles Trick essaya de la poignarder.

– Laisse tomber, fit May en tournant les talons. J'ai une meilleure idée. Reste là une minute.

– Tout seul ? Dans le noir ?

– Je ne vais pas bien loin. J'ai vu dans le coin un truc qui peut nous servir.

Voilà. Par terre, un gros bloc de béton. Trop lourd pour qu'elle le porte d'une seule main. Elle coinça la torche dans sa bouche, souleva le bloc à deux bras et le cala contre son torse.

– Prends la lampe, ordonna-t-elle d'une voix déformée, vu qu'elle la tenait entre ses lèvres.

Avec précaution, il l'ôta du bout des doigts, puis il l'essuya sur son pantalon.

– Maintenant, braque-la sur la porte.

Dans un effort surhumain, elle leva le bloc de béton à hauteur des épaules et l'abattit sur la poignée. Puis elle recommença, encore et encore. Au quatrième coup, la poignée se brisa et roula au sol avec un fracas métallique. May frappa la porte une dernière fois. Le verrou tomba du trou et explosa bruyamment sur le carrelage.

May lâcha le bloc de béton et s'appuya de tout son poids contre la porte, qui s'ouvrit en crissant, traçant un arc de cercle dans la poussière.

– Et moi qui croyais que tu refusais d'entrer par effraction, commenta Trick.

– Ferme-la.

De l'autre côté de la porte, une faible clarté filtrait à travers les fenêtres couvertes de papier journal et d'affiches municipales. Trick éteignit son porte-clés. Ils distinguaient le bar et deux tabourets oubliés ; le plafond avec ses dalles enfoncées d'où pendouillaient des fils électriques, telles des lianes multicolores. May laissa échapper un gloussement.

– Qu'est-ce qui te fait rire ?

– C'est presque plus clean maintenant qu'à l'époque du Black Tazza.

– Ah... alors c'est bien là ? Quel bazar !

Il donna un coup de pied dans les gravats qui jonchaient le sol.

– Ouais. Vois si tu peux repérer... un truc qui ressemble à du feu... ou un truc chaud. Qui ait un rapport quelconque avec le feu...

– Tu ne sais pas quoi, en fait.

– Non. Mais Princess X a arraché un masque d'or aux flammes... et il y a aussi un calice vide impliqué dans l'affaire.

Ils se séparèrent, sans s'éloigner beaucoup cependant. L'ancien café n'était pas très grand si bien qu'ils s'arrangeaient pour rester toujours en vue l'un de l'autre... volontairement, quoi qu'ils en disent. May scruta les murs, cherchant un sens caché aux graffitis, puis elle regarda sous le bar, dans les placards, sous chacune des banquettes, qui s'ouvraient si on savait s'y prendre. Elle dénicha un paquet neuf de filtres à café, plusieurs mugs cassés, et un annuaire datant de 2009.

– Alors ? lança-t-elle à Trick, qui se tenait sur la pointe des pieds pour examiner le dessus des étagères.

– Un tas de gobelets poussiéreux. Un autre de cendriers en plastique. Trois soucoupes ébréchées. Quelques paquets d'édulcorant. Et surtout un nombre incalculable d'araignées.

Lorsqu'ils eurent examiné tout ce qui pouvait ressembler de près ou de loin à un calice, ils restèrent plantés au milieu du café, sans mot dire.

Puis May leva les bras en soupirant :

– Bah, je me suis trompée, alors. Mais ça valait le coup d'essayer, non ?

– Tout à fait, acquiesça-t-il. Et puis on a bien fait de venir voir aujourd'hui. Imagine que tu aies eu cette idée une fois le bâtiment complètement démoli. Tu t'en serais voulu toute ta vie.

Elle émit un petit rire nerveux.

– T'as raison. Bon... rallume ta misérable petite lampe, qu'on sorte d'ici avant de se faire prendre.

Trick s'exécuta et ils repartirent par où ils étaient venus. La porte du café se referma derrière eux. L'emplacement maintenant vide de la poignée laissait passer un rai de lumière, bien insuffisant pour éclairer l'obscurité. À nouveau, ils longèrent le couloir, guettant le bruit des engins de chantier ou des rôdeurs.

Lorsqu'ils repassèrent devant la porte des toilettes, May eut un instant d'hésitation. Elle posa la main sur le bras de Trick, ce qui fit danser le faisceau de la lampe, jetant des ombres étranges sur son visage.

– Une minute... On va jeter un coup d'œil dans les toilettes tant qu'on y est.

– OK. Mais fais vite. C'est trop glauque ici...

– Ça pourrait être pire, répliqua-t-elle en saisissant la

poignée. Imagine un vieil hôpital ou un hôtel, un endroit où des gens sont morts...

La porte s'ouvrit en grinçant.

- Redonne-moi la lampe, s'te plaît.

- Non, je préfère la tenir. Dis-moi vers où je dois l'orienter.

- D'accord, mais on va être un peu à l'étroit à deux, là-dedans...

- Beurk !

Elle ne pouvait pas le contredire. La petite pièce leur renvoya la lumière de leur torche, car tout un mur était occupé par un grand miroir fêlé. On aurait dit qu'ils sortaient d'un film d'horreur pour ados. Ils avaient le visage et les mains noirs de poussière, les yeux écarquillés, les pupilles dilatées. Ils fixaient la glace comme s'ils s'attendaient à voir apparaître un monstre derrière eux, n'osant pas détourner le regard.

Sauf qu'il n'y avait pas de monstre, ni de message écrit en lettres de sang. Rien...

- Attends ! fit-elle en désignant un coin du miroir. Tourne-toi.

Ils pivotèrent pour se retrouver face aux toilettes. Trick braqua la lampe comme un spot sur la cuvette ouverte, révélant de longues traînées de rouille à l'intérieur, mais rien d'autre. May lui fit légèrement relever la main. Le faisceau éclaira le réservoir de la chasse d'eau, puis le mur au-dessus, où s'étalait un grand graffiti.

- C'est quoi, ce truc ? murmura-t-il. Une couronne ? Un chapeau ?

- Non, fit May en s'approchant.

D'élégants filaments rouge et or ondulaient sur le mur, surmontés de volutes de fumée.

– Ouvre les yeux, Trick. C'est un feu !

– Des flammes qui sortent des toilettes ? Ils mettaient quoi dans leurs pizzas, les gars ? plaisanta-t-il sans grand entrain.

– Non... regarde, c'est bien dessiné. Ce n'est pas un vulgaire graffiti. C'est l'œuvre d'un véritable artiste.

– De ton amie, tu crois ?

May prit une profonde inspiration et souleva le couvercle du réservoir d'eau.

– Je ne sais pas. Approche la lampe. Y a un truc dans le fond.

Elle chassa de son esprit les images d'araignées et d'eau vaseuse, plongea sa main à l'intérieur et en tira un sac de congélation, emmailloté de gros scotch marron.

– Waouh ! fit-elle en le secouant avant de l'essuyer sur son jean.

Le sac était biscornu mais pas très lourd.

Elle agita la main, surexcitée.

– Vite, ton canif !

Il le lui tendit (en rectifiant d'une voix geignarde : « C'est un couteau-suisse ! »). Elle s'assit sur la cuvette des toilettes, qui était pourtant incommensurablement répugnante.

Elle déplia avec précaution l'une des petites lames et la passa sous le scotch en prenant garde de ne pas abîmer ce qui se trouvait à l'intérieur. Une fois qu'elle eut pratiqué une fente dans le plastique, elle glissa la main au travers, à tâtons.

– Allez, montre ! supplia-t-il. C'est quoi ?

Elle ôta de sa pochette de protection un masque, comme l'indiquait la BD... Seulement il ne s'agissait pas d'un masque de carnaval, ni d'Halloween.

Trick fronça les sourcils.

– C'est un masque… chirurgical ?

May le retourna et vit qu'on avait dessiné une paire d'yeux à l'intérieur. Sur l'œil droit était noté d'une écriture bien nette : *58921*. Et sur le gauche : *44228*.

– On dirait bien, confirma-t-elle. C'était quoi, déjà, l'énigme ? Un masque d'or avec des secrets dans les yeux. Ben… il est jaune en tout cas. C'est assez proche, non ?

Il acquiesça nerveusement en fixant la bande de tissu jaune.

– C'est quoi, ces numéros ? Ça te dit quelque chose ?

– Non… je ne crois pas les avoir déjà vus.

Ils les fixèrent en silence. May se creusait la tête.

– Ça pourrait être un numéro de téléphone… Il y a le bon nombre de chiffres. 589… c'est l'indicatif de quelle zone ?

– Aucune idée.

Trick sortit son téléphone et composa le numéro. Il mit le haut-parleur et tint le portable entre eux deux. Ils demeurèrent aux aguets dans la lueur spectrale de l'écran jusqu'à ce que la tonalité retentisse, suivie du message : « Ce numéro n'est pas en service actuellement », pour leur plus grande déception.

– Bah, ça ne ressemble pas vraiment à un numéro de téléphone, de toute façon. Ni à un numéro de sécurité sociale, remarqua-t-il.

– Peut-être l'identifiant d'un patient…, suggéra-t-elle, vu que c'est un masque chirurgical.

Le visage de Trick s'éclaira.

– Bravo ! On va rentrer pour faire des recherches en partant de cette hypothèse.

May se releva en fourrant le masque et son emballage dans son sac.

– C'est là que tes talents de hacker entrent en scène.

– C'est pour ça que tu me paies, non ? Si tu me paies un jour…

– Tu auras tes six dollars cinquante, promis.

Ils retrouvèrent leur chemin assez rapidement et c'est avec un immense soulagement qu'ils ressortirent au grand air, enfin capables de voir sans l'aide de ce misérable porte-clés.

May s'essuya le visage d'un revers de manche, y laissant une traînée noire. Mais, même si elle s'était vue, elle s'en serait moquée royalement.

– Hé ! T'as vu ? J'avais raison. Les clés sont bien des objets réels.

– Tu avais donc enfin raison.

Elle lui donna une tape, mais ils avaient tous les deux un sourire béat aux lèvres.

– Allez, on rentre ! On n'a qu'à prendre le bus sur l'autre trottoir.

Ils s'efforcèrent de tenir leur langue durant tout le trajet mais, bouillant d'impatience, ils jaillirent du bus comme des diables hors de leur boîte.

– Je n'arrive pas à y croire ! On a résolu l'une des énigmes ! s'écria Trick.

– Enfin… j'ai résolu l'une des énigmes. Je t'avais bien dit que c'était Libby !

– Ouais, ouais, tu me l'avais dit, je sais. À partir de maintenant, je t'accorderai cent pour cent de crédibilité à chaque fois.

– Parfait, ça me convient. Dommage que je sois sûre que tu mens.

– « Mentir »… quel vilain mot ! Disons juste que j'exagère un peu. Allez, on est presque à la maison. Dès que je serai sur mon ordi, je pourrai décoder ces chiffres.

DOUZE

Trick habitait en réalité chez sa mère – enfin chez sa mère et le petit ami de celle-ci, comme il le précisa d'un ton amer. Ils n'étaient pas là. Trick encouragea May à se servir dans le frigo – ce qu'elle fit. Elle fut ravie d'y trouver de l'Orange Crush. (« Qui boit encore de l'Orange Crush de nos jours ? Moi », pensa-t-elle en sortant la bouteille.)

Elle devina au premier coup d'œil quelle était la chambre de Trick et s'assit au bord du lit, en tailleur, le regardant allumer ce qui avait tout l'air d'un croisement entre un ordinateur de la NASA et la plus grosse console de jeux du monde. Deux moniteurs étaient alignés sur le bureau, à côté d'une énorme tour gris et noir, avec en prime quelques disques durs branchés ici et là, et sûrement un serveur sur une étagère au-dessus. À part l'autocollant de Grumpy Cat[1] collé à l'arrière de la chaise, le décor indiquait clairement que ce jeune homme prenait l'informatique très au sérieux.

May le regarda faire quelques réglages, ouvrir menus et fenêtres qui auraient aussi bien pu être en chinois tant elle n'y comprenait rien. Sans se retourner, il lança :

– Alors commençons par le plus simple et le plus évident. Redonne-moi cette liste de chiffres.

---

1. Grumpy Cat (qui signifie « chat grincheux » en anglais) est une chatte célèbre sur Internet, en raison de son expression faciale boudeuse.

Elle tira le masque de son sac et le lissa du plat de la main, puis lut les chiffres à haute voix.

En les entrant dans le champ de recherche de Google, il obtint une longue liste de liens qu'elle ne pouvait déchiffrer d'où elle était.

– C'est quoi, tout ça ?

Il faisait défiler les pages si vite… c'était impossible, il ne pouvait pas lire aussi rapidement.

– Ces chiffres m'ont sorti des liens vers quelques fournisseurs d'accès internet, mais ça ne veut rien dire. Je ne vois aucune piste prometteuse là-dedans.

Il se retourna, les bras croisés sur le dossier de sa chaise.

– S'il s'agit de l'identifiant d'un patient, il n'est sûrement pas public. Il va falloir que j'aille fouiner dans les bases de données des hôpitaux.

– Et c'est légal ?

Il laissa échapper un petit rire.

– Non, mais ça se fait quand même. Bien sûr, ça irait plus vite si je savais dans quel hôpital chercher.

– Commence par ceux de Seattle. Libby vivait ici, donc Mister Bones y habite sûrement aussi. Attends… sur le site, j'ai lu qu'il avait une fille, qui est morte de maladie. Peut-être qu'il s'agit de son numéro… à l'époque où elle était hospitalisée.

Trick claqua des doigts.

– Bonne idée ! On va peut-être réussir à trouver l'identité de Mister Bones sans avoir à passer par… hum… des réseaux souterrains. Bon, alors commençons par ce qu'on sait.

Il prit un stylo et griffonna sur le carnet posé à côté de son clavier.

– On sait qu'on cherche un homme assez vieux pour être ton père. Donc, disons qu'il a au moins la quarantaine.

– La petite quarantaine et une fille décédée.

– Une fille qui serait morte à peu près au même moment que Libby, ajouta-t-il en notant la date de la disparation de la jeune fille. Ça doit même être très proche, sinon il n'aurait pas pu échanger les corps. C'est ce qui se passe dans la BD.

– Bien vu, acquiesça-t-elle. Super, on avance.

– Mais ce type peut venir de n'importe où. Si ça se trouve, il n'est même pas américain. Il pourrait tout aussi bien être canadien. Il faut qu'on réduise encore notre champ de recherche.

– Libby est métisse américano-japonaise. Donc sa fille aussi, probablement.

– Et lui, il est peut-être asiatique.

Elle secoua la tête.

– Non, il n'en a pas l'air. Pas dans la bande dessinée, en tout cas.

– Ouais, tu as raison. On cherche donc un Blanc, dont la fille était malade...

Tout en discutant, il tapait avec vélocité – ses doigts fonctionnaient visiblement indépendamment de sa bouche. May espérait que son cerveau était concentré sur ce qu'il tapait et non ce qu'il disait.

– Une maladie grave, forcément, vu qu'elle en est morte. Un truc genre cancer ou... je ne sais pas. De quoi on peut mourir encore ?

– Un virus. La grippe aviaire.

– Mmm... mais je penche pour le cancer. L'Homme-Aiguille cherchait un profil compatible. Une donneuse pour sa fille... de moelle osseuse ?

– Ou de sang, ou d'organes. Peut-être qu'elle avait besoin d'une greffe de rein. J'ai connu un garçon dans ce cas.

Il avait une énorme cicatrice. Comme s'il avait été mordu par un requin.

– OK, je l'ajoute à la liste d'hypothèses. Mais je préfère quand même le cancer.

– Personne ne préfère le cancer.

– Non, mais tu vois ce que je veux dire !

Pendant qu'il pianotait sur son clavier, May jeta un coup d'œil aux étagères au-dessus de son lit. Elles étaient chargées de BD et de magazines, avec quelques figurines. Elle reconnut Gordon Freeman, du jeu vidéo *Half Life 2*, une des Petites Sœurs du jeu *Bioshock*, Drake de *Uncharted*, et deux Spartans de *Halo* au milieu de quelques créatures de *Dragon Age*. Elle lui demanda distraitement :

– T'es pas un peu trop vieux pour les jouets ?

– T'es pas un peu trop vieille pour les contes de fées ? répliqua-t-il. Prends-toi un peu de lecture, je risque d'en avoir pour un moment.

– Tu veux que je commande une pizza ?

– Oui. Non. Peut-être. Pas tout de suite, décida-t-il finalement. Dans une heure. Ce genre de recherche m'ouvre toujours l'appétit.

Il s'écoula finalement plus d'une heure car elle se laissa absorber par sa collection de *Transmetropolitan*, une BD cyberpunk. Mais, avant qu'elle arrive au bout des aventures de Spider Jerusalem, Trick se redressa brusquement, tourna l'un de ses moniteurs vers elle, zooma sur une colonne de chiffres, puis il brailla :

– Hé, regarde !

May le rejoignit d'un bond.

– Qu'est-ce qui se passe ?

– Je suis entré dans la base de l'hôpital pédiatrique de Seattle. Vu qu'on parle d'une ado…

– Bien joué. Et tu as trouvé quoi ?

Il ouvrit un pdf intitulé « XrbrEssaiClinique09 ».

– Tu as vu ?

– Oui, un essai clinique. Pour un traitement ?

– Oui, pour un médicament expérimental contre le cancer, le Xerberox. C'est le doc destiné aux patients, mais, pour que leur anonymat soit préservé, ils sont identifiés par leur numéro de dossier et pas par leur nom.

– Et tu as retrouvé le numéro du masque ?

C'était presque trop beau !

Il s'avachit dans sa chaise en s'éloignant du bureau, gardant tout de même une main sur la souris.

– Ouais, j'ai trouvé le numéro. C'est… bon, en fait, ça ne nous avance pas autant que je l'espérais.

– Pourquoi ?

De la main gauche, il désigna l'écran comme si May pouvait comprendre toute seule. Mais elle n'avait aucune idée de ce dont il s'agissait. On aurait dit un devoir de maths.

– Non seulement on n'a pas le nom du patient, mais on n'a aucune caractéristique permettant de l'identifier. Pas même l'État de résidence, ni le sexe. Rien.

May ne baissait pas les bras aussi vite.

– C'est la première princesse. C'est obligé. Et on sait qu'elle vivait ici, à Seattle. On sait qu'elle était malade. Et même qu'elle avait un cancer, tu avais vu juste. Et maintenant on a la confirmation que le numéro du masque est bien celui d'un dossier médical. Pourquoi tu n'essaies pas d'y accéder ?

– J'ai déjà essayé.

– Ah oui ?

– Évidemment.

Il se retourna pour la dévisager.

– Mais tu n'as pas réussi ? le questionna-t-elle.

Il émit un reniflement méprisant.

– Bien sûr que si, j'ai réussi. Le système est bien protégé mais ce n'est pas Fort Knox. Le problème, c'est que l'hôpital efface au bout de trois ans les dossiers des patients décédés. J'imagine qu'ils les archivent ailleurs… mais c'est sûrement une copie papier, un carton au fond d'une cave, un truc comme ça.

– Alors il faut qu'on trouve cette cave. Qu'on ouvre les cartons.

– Et qu'on aille en prison. Genre « Rendez-vous immédiatement en prison. Ne franchissez pas la case Départ. Ne touchez pas 200 $. »

– Tu as une meilleure idée ? riposta-t-elle en se demandant déjà où elle allait pouvoir se procurer les outils pour forcer la porte et quel genre de système de sécurité protégeait le sous-sol d'un hôpital.

– Donne-moi une minute. Ou deux. Peut-être même cinq.

Il releva à nouveau la tête vers elle.

– J'ai pensé à d'autres endroits où je pourrais chercher. Bon, on se la commande, cette pizza ?

Il jeta un regard suppliant au moniteur de gauche comme pour le prier de lui livrer de nouvelles informations utiles.

Et, au grand étonnement de May, c'est ce qu'il fit.

Trick fronça les sourcils en marmonnant :

– Alors ça, c'est bizarre…

Il se pencha en avant, scrutant avec attention la barre où s'affichait l'adresse URL.

– Qu'est-ce qu'il y a ?

– Le pdf n'est pas hébergé par le serveur de l'hôpital, mais sur un serveur privé… et pourtant l'hôpital m'a redirigé dessus. Mmm…

Il copia et colla l'adresse sur un document Word où il regroupait ses notes.

– Je creuserai ça plus tard. D'abord la pizza.

– Et après ?

– Et après tu rentreras chez toi finir de lire la BD. Ou au moins avancer dans ta lecture. Je ne pourrai pas poursuivre les recherches avant ce soir lorsque les nerds sortiront.

May hésitait à rester pour manger une part de pizza, maintenant qu'elle connaissait mieux Trick. Elle finissait par apprécier son goût pour s'attirer les pires ennuis, son mépris total de la vie privée des autres et son approche pragmatique des infractions à la loi. Mais son père allait bientôt rentrer et elle voulait avoir un peu de temps à elle pour surfer sur le site, avec le masque et le message.

Alors elle dit bonsoir à Trick et rentra chez elle pour étudier tout ça tranquillement.

TU AS DÛ PORTER CE MASQUE
AUTREFOIS. ON VOUS A FAIT
DES TESTS À L'ÉCOLE.
MAIS ÇA N'A PAS ÉTÉ CONCLUANT.
POUR PERSONNE.

UNE ENFANT AVAIT BESOIN
D'AIDE, MAIS TU N'ÉTAIS PAS
EN MESURE DE LA LUI APPORTER.

TU VEUX PARLER
DE LA FILLE
DE MISTER BONES?
J'AI SUBI UN TEST
POUR ELLE?

NON, UNE AUTRE FILLE.
DES ANNÉES AUPARAVANT.
MAIS ON N'A RIEN PU FAIRE.

LA FILLE DE MISTER BONES,
ELLE, TU AURAIS PU LA SAUVER
SI TON PÈRE ET MOI,
NOUS AVIONS ACCEPTÉ.

VOUS AVIEZ LES MÊMES OS.

May était assise sur son lit, le masque chirurgical entre les mains. Elle le retourna sous toutes les coutures, à la recherche d'un détail qui lui aurait échappé. Mais elle ne repéra rien de nouveau. Ce n'était qu'un masque en tissu, jetable. Il était de ce jaune pisseux d'hôpital, avec des liens blancs aux quatre coins pour l'attacher derrière la tête.

Quant à l'écriture sur l'autre face, dans les deux ovales qui figuraient des yeux... était-ce l'écriture de Libby ? May fouilla dans ses souvenirs pour se remémorer l'écriture de son amie. Elle essayait de se rappeler un petit mot passé en classe, un message dans le casier qu'elles partageaient. Elle revoyait les pattes de mouche de Libby sur ses feuilles de cours ; mais ces chiffres étaient grands, bien formés, anonymes. Ce n'était peut-être pas elle qui les avait notés, elle avait pu demander à quelqu'un d'autre. May avait envie de se raccrocher à l'idée qu'elle avait entre les mains un objet que la véritable Libby, bel et bien vivante, avait touché, mais elle ne pouvait en être sûre et ça la contrariait.

Furieuse contre elle-même et un peu contre Princess X et Libby, elle jeta le masque à travers la pièce. Il heurta la porte et glissa sur la moquette, où il demeura en petit tas.

– Laisse tomber, murmura May entre ses dents.

Elle allait éteindre sa lampe de chevet lorsqu'elle se figea, stupéfaite. Le téléphone sonnait.

Pas son portable, ni celui de son père. Mais le téléphone fixe, qu'elle n'avait pratiquement jamais entendu. Elle abandonna l'idée de se coucher tôt et sortit de sous sa couette, intriguée. Elle glissa les pieds dans ses chaussons en forme de poule et ouvrit la porte. Mais le téléphone avait arrêté de sonner parce que son père avait décroché.

– Allô ? Allô ?

Il répéta ces mots plusieurs fois dans le vide, puis raccrocha avec un haussement d'épaules.

– C'était qui ? s'enquit May.

– Un faux numéro, je suppose.

Il retourna sur le canapé.

– Tu te couches déjà ? Il est à peine dix heures.

– Je suis fatiguée.

– Tu as eu une grosse journée ?

– Non, je suis juste allée boire un café, mentit-elle.

– Avec le surdoué de l'informatique ?

Elle lui avait parlé de Trick la veille.

– Ouais. Il est sympa. En tout cas, c'est cool d'avoir quelqu'un à qui parler quand tu n'es pas là.

Il eut un demi-sourire.

– Tu m'adresses à peine la parole quand je suis là.

– Je suis en train de te parler, non ?

– Oui, mais jamais de sujets importants.

– Trick est... OK, tu as raison. Ce n'est pas important, concéda-t-elle, alors qu'elle savait fort bien en le disant que ce n'était pas vrai.

Pour le moment, Trick était son unique ami dans tout l'État. Mis à part Libby, peut-être. Elle s'appuya contre l'encadrement de la porte.

– Princess X, c'est important, mais tu en as sans doute assez.

Elle repéra alors le masque, par terre, gisant devant la porte, et le poussa discrètement dans sa chambre du bout du pied.

– Non, c'est intéressant. Quel hobby bizarre tu t'es trouvé !

– Prouver que quelqu'un est en vie, a certainement été enlevé et est sûrement en danger ? Ce n'est pas un hobby, papa !

– Toutes mes excuses, fit-il d'un ton assez sérieux pour qu'elle se demande s'il se moquait d'elle. Ce n'est pas ce que je voulais dire. Le mot juste est… « mission », quelque chose comme ça. Je me suis mal exprimé. Pardon.

– Peu importe, soupira-t-elle en relâchant la porte.

Elle tourna les talons pour regagner son lit, mais s'arrêta en entendant son prénom.

– May… Tu… tu as trouvé quelque chose d'intéressant dans les articles que je t'ai rapportés ?

Elle ne voulait pas être odieuse, alors que c'était l'une des rares marques d'attention qu'il lui avait témoignées cet été. Alors elle répondit :

– Oui et non. Je cherche encore. Ça fait beaucoup à lire. Et tu me connais, je ne suis pas rapide.

– OK. Bon… j'espère que ça t'aidera.

– Oui, j'en suis sûre. Bonne nuit, papa.

– Bonne nuit.

Elle se coucha donc sans colère dans le cœur.

Elle commençait à s'assoupir lorsque le téléphone sonna à nouveau. Cette sonnerie électronique basique, comme surgie d'une vieille série télé. Elle entendit la voix de son père répéter :

– Allô ? Allô ?… Allô ? Qui est-ce ?

Puis il abandonna et raccrocha.

May était parfaitement réveillée, maintenant. Elle décida d'en profiter pour lire encore un peu.

TRÈS BIEN, PRINCESS X. TON ÉPÉE A EU RAISON DE MES PIERRES. JE TE DOIS UNE RÉPONSE. POSE-MOI UNE QUESTION ET JE TE DIRAI LA VÉRITÉ.

JE CHERCHE UN COFFRET ROUGE CACHÉ DANS LE CIEL. DIS-MOI OÙ JE PEUX LE TROUVER.

ON M'A PRIS CE COFFRET IL Y A BIEN LONGTEMPS. JE NE SAIS PAS OÙ IL EST.

QUI T'A PRIS TON COFFRET ROUGE, MALLICOTT LE TROLL?

LE SORCIER QUI VIT
AU-DELÀ DES MONTAGNES.
IL M'A VENDU UNE POTION
À LA POMME D'AMOUR...
PUIS IL S'EST VOLATILISÉ.

INTERROGE LES SIRÈNES,
SI TU VEUX LE RETROUVER
ET VAINCRE MISTER BONES.

OÙ PUIS-JE TROUVER
CES SIRÈNES?

ELLES NAGENT ET PLONGENT
ENTRE LES PONTS.
LES COLOMBES TE MONTRERONT
LE CHEMIN.

MAIS CE N'EST PAS UNE COLOMBE... C'EST MON AMI, LE CORBEAU.

NON, LES CORBEAUX SONT NOIRS COMME LA NUIT. TON AMI EST D'UNE AUTRE ESPÈCE.

UN CORBEAU PEUT PRENDRE L'APPARENCE QU'IL VEUT. ET CELUI-CI VEUT M'AIDER.

May referma l'ordinateur et prit son téléphone. Il était tard pour la plupart des gens, mais pas pour Trick – il n'était même pas minuit. Elle chercha leur dernière conversation et le rappela en marmonnant :

– Allez, décroche, décroche, décroche...

Mais ça sonnait dans le vide.

Elle se demanda s'il avait enregistré son numéro dans ses contacts. Sûrement, non ? Si ça se trouve, il avait vu son nom et décidé de ne pas répondre... Elle allait l'étrangler si c'était le cas. Mais peut-être qu'il avait coupé la sonnerie. Ou alors qu'il n'avait plus de batterie. Il pouvait aussi être en ligne avec quelqu'un d'autre ou sous la douche ou ailleurs...

Elle réessaya quelques minutes plus tard, sans résultat.

Cette fois, elle laissa un message. Tout bas, parce que son père dormait dans la pièce voisine, mais d'un ton insistant :

– Hé, je crois que j'ai trouvé la solution de la deuxième énigme. Retrouve-moi demain matin pour le petit déj'. Je suis sérieuse. LE PETIT DÉJ'. Si tu n'es pas levé à dix heures, je viens te tirer du lit avec un *taser* et un café.

TREIZE

Trick n'avait pas entendu le téléphone sonner, et, même si ç'avait été le cas, il n'aurait sans doute pas répondu. Car il avait de plus gros soucis que des voisines éplorées avec leurs mystérieux mystères.

Sa machine avait été piratée.

Il le sut dès qu'il l'alluma – c'était presque imperceptible, un temps de chargement légèrement plus long. Il exécuta donc un scan du système et tomba dessus : un spyware, un logiciel espion.

Il passa une heure ou deux à essayer de le liquider, de l'effacer, enfin bref de s'en débarrasser, en vain. Il s'accrochait. Il fallait qu'il le localise et qu'il trouve comment le désactiver. Ce qui allait nécessiter quelques recherches. Finalement, en dernier recours, il lança son nettoyeur de disque préféré et redémarra sa machine.

Lorsqu'il se reconnecta, un message l'attendait sur le chat de Gmail, alors qu'il était censé être en « invisible », et ne pas recevoir de message d'interlocuteurs non autorisés. Ce chat le rendait vraiment dingue.

OISEAUN&B : Tu es là, Trick ?

ZHATTRICKZ : Oizomalade, je suppose ? C'est toi qui as piraté ma machine ?

OISEAUN&B : Pas piratée, juste vérolée. Quelqu'un s'intéressait à tes recherches et avait remonté ta trace. Mais ce n'est pas moi, j'ai juste suivi.

ZHATTRICKZ : T'es naze.

OISEAUN&B : Je t'avertis, imbécile. Sois plus prudent, si ce n'est pas trop tard. Je ne sais pas... Tu as trifouillé un truc qu'un salaud hébergeait et il t'a refilé un cheval de troll pour la peine. Il essaie de savoir si c'était juste un hasard ou si tu fouinais volontairement.

ZHATTRICKZ : Un cheval de troll ? C'est une faute de frappe ou ça s'appelle vraiment comme ça ? Tu peux m'aider à nettoyer ma machine ?

OISEAUN&B : Nan. J'aime bien t'avoir à l'œil et ce petit programme n'a pas remarqué que je regardais par-dessus son épaule. Tu as encore une ou deux épreuves à passer avant de pouvoir approcher. J'ai hâte de voir comment tu t'en sors.

Le point vert à côté de son pseudo s'éteignit. Trick était furieux. Le gars s'était déconnecté. Si ce troll était un indice, un test ou quoi que ce soit... ce n'était pas drôle.

Qu'est-ce que c'était que cette histoire ?

Il aurait peut-être dû appeler May. Non, il était minuit, elle allait le tuer s'il la réveillait. Un texto, c'était moins risqué.

Bon, où avait-il fourré son portable ?

QUATORZE

Trick était ronchon lorsqu'il rejoignit May pour le brunch le lendemain matin, mais il était là et c'était déjà un grand pas. Néanmoins, il était de fort méchante humeur – non seulement parce qu'elle l'avait tiré du lit, mais également parce que quelqu'un quelque part avait fait quelque chose à son ordinateur, si elle avait bien compris.

– Je n'aime pas ça ! déclara-t-il en agitant sa fourchette sous son nez. Mon système était nickel et, brusquement, je me retrouve avec un *spyware* aux basques.

– C'est quoi, un *spyware* ?

– T'es mignonne. Un *spyware*, c'est un logiciel espion et, justement, c'est pas du tout mignon. Ça infiltre ton système et ça rapporte tout à celui qui l'a programmé.

– Bah, alors, désinstalle-le. C'est toi, le petit génie de l'informatique, non ?

– J'ai essayé ! Je suis en train ! corrigea-t-il. J'ai lancé un nouveau nettoyage du disque, qui sera fini quand on remontera. Mais c'est trop bizarre et je sais que c'est lié à Princess X.

– Moins fort ! souffla-t-elle.

– Je suis en vrac. Comme ma machine.

– Ton ordi n'est pas planté, c'est juste... qu'il te regarde. De loin. Et avec de mauvaises intentions.

Une étincelle brilla dans les yeux de Patrick.

– Ça pourrait être Mister Bones, tu sais.

– Tu dis ça pour essayer de piquer ma curiosité, répliqua May. Mais désolée, les logiciels-espions, ça ne m'intéresse pas.

– Non, je suis sérieux.

Il s'essuya la bouche avec une serviette en papier puis prit son air très grave de conspirationniste.

– J'ai remarqué le spyware après ton départ hier soir, alors qu'on venait de dénicher le pdf des essais cliniques. Tu te souviens, je t'ai dit qu'il n'était pas hébergé sur le serveur de l'hôpital. Eh bien, j'ai localisé l'adresse IP sur Bainbridge Island ; apparemment, ce serveur stocke de vieilles archives de l'hôpital. C'est comme une cave, mais en version numérique.

– Et c'est fréquent de faire ça ? De faire héberger ses archives ailleurs ?

– Beaucoup d'entreprises le font, affirma-t-il. Cabinets d'avocats, hôpitaux, établissement scolaires, éditeurs ou autres. Ils doivent parfois conserver leurs archives pour des raisons juridiques mais ils ne veulent pas encombrer leur serveur avec de vieux fichiers. Et il y a trop de problèmes de sécurité pour qu'ils archivent sur le cloud.

Il fit tinter sa fourchette contre le bord de son assiette de pancakes.

– Non, je pense que c'est un parc de serveurs. Et celui qui l'héberge le surveille de près.

– Un parc de serveurs sur Bainbridge ? Ce... ce n'est pas si loin que ça.

– Et c'est une île. Or Princess X s'est enfuie d'une île.

Leur enquête avançait et elle en était ravie, mais elle ne voulait pas s'emballer trop vite.

– Il y a des tas d'autres îles dans le monde. Le détroit de Puget[1] fourmille d'îles. D'habitude, c'est moi qui tire des conclusions hâtives, pas toi.

Elle secoua la tête.

– Selon toi, depuis des années, Mister Bones gère un parc de serveurs qui héberge le dossier médical de sa fille ?

– Pas seulement son dossier médical, mais tout le compte rendu de l'essai clinique, et des essais d'autres médicaments également. Ça pourrait être une coïncidence, mais je ne pense pas. Mister Bones est un geek, peut-être même un hacker, ce serait logique qu'il travaille dans les nouvelles technologies, genre hébergement de sites ou gestion de serveurs. Il suffit d'avoir une connexion internet T1 et tu peux tout gérer depuis ton ordi.

– Ça fait quand même beaucoup de *si*.

– Mais l'hébergeur, quel qu'il soit, a attaché un cheval de Troie au pdf pour savoir qui le chargeait... voir si c'était juste un gars tombé là par erreur ou quelqu'un qui s'intéressait à sa défunte fille.

– Parce que ce quelqu'un pourrait faire le lien entre sa défunte fille et ma non défunte amie, c'est ça ?

C'était un peu tiré par les cheveux, mais ça collait. Les pièces du puzzle s'arrangeaient dans l'esprit de May pour lui donner une meilleure vue d'ensemble.

– Ça y est, tu vois les choses comme moi ! s'écria Patrick.

– C'est flippant.

– Mais tu comprends comment j'en suis arrivé à cette conclusion, non ? Peut-être qu'on lui a posé des questions

---

1. Le détroit de Puget, ou Puget Sound, est un bras de mer de l'océan Pacifique bordé à l'est par la ville de Seattle.

sur l'enterrement ou la crémation de sa fille… puisqu'il a sans doute jeté son corps dans la baie pour faire croire à la police que c'était Libby. Il a des millions de raisons d'être soupçonneux. Et encore, on ne sait pas encore tout ce qu'on ne sait pas encore…

– Alors là, je n'aurais pas dit mieux, commenta-t-elle, moqueuse.

– Bon, en tout cas, ce type m'espionne et maintenant qu'on a trouvé le pdf, il sait qu'on le traque.

– Arrête, on n'est pas dans sa ligne de mire, quand même.

– Tu as lu la BD comme moi : Mister Bones a prévenu la princesse qu'il la tuerait, elle et tous ceux auxquels elle tient, si elle essayait de lui échapper. Comme par hasard, son père a bizarrement trouvé la mort il y a deux ans. Et ce type essaie d'attirer les gens avec sa récompense, nous ne sommes donc pas les seuls à la chercher. Ce doc… ce doc était un piège, reprit-il rageusement, et on s'est jetés droit dans la gueule du loup.

– Même si tu as raison, ça veut seulement dire que… que…

Elle s'interrompit.

– Qu'il faut être prudents et agir vite. Mais on le savait déjà.

Il ne l'écoutait pas. May le voyait bien à la manière dont il fixait son assiette presque vide, absorbé dans la contemplation des miettes et des traces de sirop d'érable.

Il sortit une carte de crédit, qu'il jeta sur la table.

– Cette fois, c'est moi qui paie. Et ce sera ton tour la prochaine.

May se dit que ce devait être chouette de pouvoir manger sans regarder l'addition ni faire de petits calculs. Il n'avait franchement pas besoin de ses six dollars cinquante.

– Bon, alors, qu'est-ce qu'on fait ? demanda-t-il une fois que la serveuse eut pris la carte. Pourquoi m'as-tu convoqué d'urgence avant midi ?

Ah oui. Elle ne lui avait pas dit pourquoi elle l'avait tiré du lit à une heure aussi indue. Et, par « heure indue », elle entendait dix heures et demie.

– On va à Fremont, parce que j'ai résolu une nouvelle énigme, annonça-t-elle.

Il haussa un sourcil sceptique.

– Qu'est-ce qu'il y a à Fremont ?

– Le troll.

Il haussa les sourcils.

– T'es sérieuse ?

– Quoi ? Y a bien un troll dans la BD ! Et oui, je sais que c'est débile… Je plaisante, enfin presque. On ne va pas aller voir le troll, à la place, on va suivre ses conseils pour tenter de trouver les sirènes.

Elle prit son sac et sa veste en velours bleu.

– Des sirènes ? Tu crois qu'il y a des sirènes à Fremont ?

– Sûr et certain, promit-elle. Allez, viens. Avec un peu de chance, on peut choper le prochain bus.

Ils arrivèrent à l'arrêt de bus juste à temps pour le voir démarrer sans eux, mais ce n'était pas grave. La gare centrale n'était pas très loin et ça descendait, en plus. Il faisait plutôt beau. Du soleil avec du vent, le genre de temps incompréhensible qu'on pouvait avoir en été. Au moins, il faisait sec.

Alors qu'ils rejoignaient la gare à pied, Trick lui demanda des détails au sujet des sirènes.

– Il n'y a pas que la statue du troll à Fremont, tu sais, l'informa-t-elle. Ils ont installé des tas de néons rigolos, en forme de nageuse... de sirène, quoi. Tous ces personnages sont censés jouer un rôle dans une sorte de conte de fées, mais je ne sais pas si c'est vrai. Libby et moi, on en avait parlé dans nos histoires de Princess X à l'époque.

– Je ne vois toujours pas où ça nous mène.

– Tu n'as jamais mis les pieds là-bas ou quoi ? s'énerva-t-elle. Écoute-moi, alors. D'abord le troll indique où trouver les sirènes, mais en plus... il parle d'une potion à la pomme d'amour. C'est ça, le petit indice de Libby.

– Je ne suis pas sûr d'avoir envie de savoir ce qu'est une potion à la pomme d'amour.

Elle lui expliqua quand même toute l'histoire, parlant avec les mains, exactement comme lui lorsqu'il se laissait emporter par son enthousiasme.

– OK. Quand on était ados, Libby et moi, on n'avait pas encore le droit de se maquiller vraiment, mais le gloss sur les lèvres, ça allait. Notre teinte préférée était vendue chez Walgreens, elle n'existe plus, mais elle s'appelait « pomme d'amour ». Et le troll parle d'une potion à la pomme d'amour dans la BD. Voilà pourquoi je sais qu'on va trouver les sirènes à Fremont. Personne ne pouvait relever le détail à part moi.

– D'acc'. Ça vaut le coup d'aller jeter un œil..., concéda-t-il.

Cependant, May sentait bien qu'il ne pensait qu'à son ordi. Ah, les garçons et leurs obsessions !

Ils durent contourner un énorme 4 × 4 flambant neuf garé sur le passage pour piétons. May flanqua un coup de pied dans le pneu en lui souhaitant d'avoir une contravention, avant de rejoindre l'arrêt de bus.

Celui-ci arriva avec cinq minutes d'avance ou de retard, en tout cas pas à l'heure dite, mais peu importait. Ils montèrent à bord et allèrent s'asseoir dans le fond.

Par la fenêtre, May vit le 4 × 4 qui démarrait et s'insérait dans la circulation juste derrière eux. Elle faillit prévenir Trick, mais se ravisa. Ce n'était sans doute rien.

Une demi-heure plus tard, ils arrivaient à Fremont. C'était un quartier « pittoresque », selon l'expression favorite de son père. Il était bâti sur une série de collines si bien qu'on avait l'impression que les boutiques, restos et cafés étaient entassés les uns sur les autres. Au milieu du plus grand carrefour se dressait un panneau ridicule affirmant que Fremont était le centre de l'univers et indiquant la distance jusqu'à différentes destinations, réelles ou imaginaires. Le plus extraordinaire était ce troll énorme émergeant du sol sous un pont – une sculpture de pierre ou de béton, plus grande qu'un garage. En tout cas assez grande pour tenir une Coccinelle Volkswagen dans une main, parce que c'était justement ce qu'il faisait, figé dans une pose à la Hulk qui ravissait les touristes et agaçait les gens du quartier.

Trick décida qu'il voulait commencer par voir le troll et, puisque que c'était juste à côté des néons, May accepta.

– On ne sait jamais, dit-il, il y aura peut-être un message ou quelque chose. Un autre indice nous confirmant la piste.

– Mais j'ai déjà trouvé l'indice ! s'emporta May.

Il secoua la tête avec un petit sourire aux lèvres – le premier de la journée.

– Qu'est-ce que tu as contre ce pauvre troll ? Ne me dis pas que tu es trop vieille pour t'amuser à grimper dessus !

– Quoi ? Justement, si, mec !

– Ne m'appelle pas « mec », ça me rend dingue.

La sculpture en question leur apparut alors. Elle se dressait sous le pont autoroutier, sa voiture dans la main. Le troll avait une bonne bouille, c'était plutôt cool... mais bon, on en avait vite fait le tour.

Et May n'avait pas de temps à perdre.

– Allez, c'est bon, on y va ! supplia-t-elle. Regarde, y a plein de monde.

– Justement, c'est le meilleur moyen de passer inaperçu. Se fondre dans la foule.

Et il se mit en route d'un pas furieux, retrouvant instantanément sa mauvaise humeur.

Il n'y avait rien d'intéressant à voir, pas même l'ombre d'un graffiti de Princess X. Juste une poignée de touristes et un bouchon permanent, dû aux conducteurs qui ralentissaient le temps d'immortaliser le troll avec leur portable. May aperçut deux familles avec de jeunes enfants qui s'en donnaient à cœur joie en escaladant le troll, deux ou trois lolitas en robe noire à volants, trois gars en costume qui mangeaient leur sandwich et quelques skaters qui fumaient leur clope. Ils saluèrent un nouvel arrivant, un grand punk aux cheveux si blonds qu'ils en étaient presque blancs. Il devait peser à peine quarante kilos et semblait un peu vieux pour faire partie de la bande, mais il avait la tenue adéquate – rimmel noir et jean noir déchiré qui le moulait plus qu'une momie ses bandelettes.

May l'observa du coin de l'œil. Il était pas mal, mais... il avait un truc qui clochait. Sauf qu'elle n'arrivait pas à trouver quoi.

Elle se tourna vers Trick à la place. Mais les gens allaient s'imaginer qu'ils étaient ensemble. Pas cool. Elle se ravisa donc et fixa les fissures du trottoir. Lorsqu'elle releva la tête, le grand maigre en noir avait disparu.

Arrivée en haut de la colline, elle demanda :

– Qu'est-ce qu'on cherche là ? Les néons sont de l'autre côté.

– Tu me demandes ce que je cherche ? répondit-il à voix basse. Eh bien, en fait, quand j'ai trouvé le logiciel espion sur mon système, un type... hum... enfin, un hacker que je connais m'a dit que ma machine était infectée par un cheval de troll.

– Un... cheval de troll ?

Trick scruta méticuleusement le dessous du pont, le troll, la Coccinelle qui menaçait d'être écrabouillée... comme s'il analysait le moindre détail.

– C'est un mauvais jeu de mot sur « cheval de Troie », j'imagine. Comme dans la légende antique, tu vois. Et comme le virus qui s'infiltre dans ton ordi pour permettre à d'autres personnes d'accéder à tes fichiers. Tu m'as donné l'idée tout à l'heure, au resto. Et, comme tu voulais venir à Fremont, je me suis dit que ça valait la peine de venir jeter un œil.

– OK, on a jeté un œil. Et il n'y a rien de rien, décréta-t-elle d'un ton ferme. Alors reprenons ma piste.

Néanmoins, elle repensa au type en noir. Il ne ressemblait pas du tout à Mister Bones, mais peut-être que ce dernier ne travaillait pas seul.

Trick fit le tour de la statue de troll avant de revenir vers elle.

– OK, laisse tomber, soupira-t-il. On y va.

QUINZE

En repartant, May cherchait des yeux quiconque détonnerait dans le paysage. Et, vu le regard scrutateur de Trick, il s'était fixé la même mission. Ils étaient sur les nerfs. Encore plus maintenant, à cause de cette histoire de « cheval de troll » ; c'était glauque de savoir que quelqu'un les espionnait.

Ou peut-être était-elle tendue parce qu'elle se rapprochait de Libby. Après tout, May avait trouvé la première clé et il n'en restait que deux avant « la fille grise ». Oui, Libby était tout près – pour la première fois depuis qu'elle avait été enterrée.

Ou plutôt depuis que la fille de Mister Bones avait été enterrée à sa place.

May fourra les mains dans ses poches. Elle aurait parié que le corps enfermé dans le cercueil de Libby appartenait à cette autre fille. Elle se demandait quel était son nom. Elle se demandait si cette fille était consciente que son père était un criminel. Mais finalement, était-ce vraiment un crime de vouloir sauver son enfant à tout prix ? Même si ce prix était la vie d'un autre enfant.

« Oui, c'est un crime, se dit-elle. C'est un crime parce qu'il m'a privée de Libby. »

De plus, Mister Bones avait privé Libby de sa mère, sans doute même de son père, et de sa liberté. Et, au rythme où allaient les choses, il risquait même de priver de leur vie

May, Trick ou même Libby une deuxième fois s'ils arrivaient à la retrouver.

– Qu'est-ce qu'il y a ? lui demanda Trick.

– Quoi ? Je n'ai rien dit.

– Tu fronces les sourcils comme si tu étais en train d'imaginer quelqu'un qui torture un chaton ou qui bat un bébé, un truc comme ça.

Il haussa les épaules, fourrant à son tour les mains dans ses poches. Ils commençaient à se ressembler.

Seulement, May ne voulait pas lui ressembler. Elle sortit les mains de sa veste, ôta de petits grains de poussière de sous ses ongles et déclara :

– Très bien. Je me disais que, si jamais je me faisais tuer à cause de toi, je ne te le pardonnerais jamais.

– Tu m'en veux parce que je ne t'ai pas parlé du cheval de troll avant de venir ici.

– J'aime savoir où je vais.

– Oui, mais là...

Il ressortit les mains de ses poches pour les agiter dans les airs.

– C'était juste un petit détour. Y a pas de mal.

– Ouais, au moins, c'était court, bougonna-t-elle. Allez, viens. Les néons en forme de nageuse sont par là...

– C'est bizarre que je ne les aie jamais remarqués.

– Ce n'est pas... comme des enseignes lumineuses. Y a rien d'écrit, ça ne clignote pas comme à Las Vegas. C'est juste... des dessins. Il y a un couple qui danse, une femme qui plonge et une fusée. Des trucs comme ça, éparpillés dans le quartier. Cachés... et en même temps à la vue de tous. Ils font partie du décor.

Ils traversèrent la rue, puis remontèrent une centaine de mètres à droite. May désigna les danseurs : un homme et une femme en tenue de soirée, dans une posture parfaite. Ils étaient au-dessus d'un bar glauque et d'un restaurant sinistre, mais pour autant qu'elle sache ils n'avaient rien à voir avec ces deux établissements. Ils étaient là depuis toujours et personne ne savait pourquoi.

– Tu vois ce que je te disais ? fit-elle en tendant le menton. Ce sont plus des œuvres d'art que des enseignes. Il y en a d'autres par là. Un vélo... une bouteille de vin et un verre.

– Et là ! s'écria-t-il en fonçant au bout de la rue. Une femme qui plonge !

Il traversa une ruelle pour se poster juste au-dessous du néon : une femme longiligne en maillot bleu et bonnet jaune, dans le style nageuse olympique, les mains pointées vers le trottoir et les jambes tendues vers le ciel.

– Oui, c'est elle, confirma May en le rejoignant au petit trot. Une sirène.

Ils contemplèrent les mains de la plongeuse, juste au-dessus de leurs têtes. Puis May baissa les yeux vers ses pieds.

– Tu crois qu'elle désigne un truc... enterré là, sous le trottoir ?

Trick secoua la tête, sourcils froncés.

– Non, personne n'a touché à ce trottoir depuis des lustres. Il n'a pas été réparé, rien.

– Ça ne nous avance pas beaucoup, murmura May en se penchant pour examiner le trottoir, au cas où.

Elle glissa les doigts entre les dalles, mais ne sentit rien de bizarre. Juste de la terre, un ou deux escargots, des cailloux.

– Mais c'était pareil au Black Tazza, au départ.

– Oui, seulement au moins, là-bas, personne ne nous espionnait. Euh… viens, on ferait mieux d'y aller, bafouilla Trick.

May releva la tête, suivant son regard jusqu'à leur reflet dans la vitrine d'un restaurant.

– On dirait que les gens qui mangent à cette table vont appeler la police.

Elle s'essuya les mains sur son jean.

– On ne peut pas partir maintenant. On est au bon endroit, affirma-t-elle. Ce n'est peut-être pas… je ne sais pas… pile ici.

– Viens. Y a un café au coin. On n'a qu'à aller se prendre un truc pour réflé…

Comme il laissait sa phrase en suspens, May se retourna pour voir ce qui avait attiré son attention. Il suivait des yeux un 4 × 4 gris foncé qui venait silencieusement vers eux. Un hybride, de la même marque et de la même couleur que celui qu'elle avait vu sur Capitol Hill, juste avant de monter dans le bus. Son mouvement silencieux lui donnait la chair de poule. Les vitres teintées reflétaient le ciel si bien qu'elle ne pouvait pas voir qui était au volant.

Peut-être personne. On aurait dit une voiture fantôme, en fait.

Et puis, c'était une étrange coïncidence, non ? Sauf que May ne croyait pas vraiment aux coïncidences.

Elle jeta un coup d'œil au feu tricolore, et constata qu'il était vert. Mais le 4 × 4 n'accéléra pas. Au contraire, il ralentit jusqu'à s'arrêter à leur niveau.

May prit le bras de Trick.

– C'est quelqu'un que tu connais ? lui demanda-t-il.

– Non, fais comme si de rien n'était, souffla-t-elle.

Ils n'attendirent pas que la vitre se baisse, ni rien. Ils firent demi-tour et revinrent sur leurs pas, en direction du café que Trick avait repéré. May lui serrait le bras un peu trop fort, anxieuse. Elle s'efforçait de ne pas se retourner pour regarder le véhicule.

– Ce n'est qu'une voiture. On s'emballe pour rien.

– Probablement, répondit-il, les lèvres pincées. Mais c'est bizarre.

– Tu veux que je te dise ce qui est encore plus bizarre ? Je crois qu'il nous a suivis depuis Capitol Hill.

– Quoi ? Tu plaisantes ?

Elle ne répondit pas. Dans le reflet d'une vitrine, elle constata que le 4 × 4 était toujours au carrefour, arrêté le long du trottoir, bloquant la circulation. Cette fois, elle ne put se retenir, elle jeta un coup d'œil par-dessus son épaule et vit une berline le doubler, dont le conducteur adressa un geste grossier à celui du 4 × 4.

Dès qu'elle se fut éloignée, celui-ci redémarra. Ses pneus crissèrent tandis qu'il effectuait un demi-tour en pleine rue. Une de ses roues arrière grimpa sur le trottoir.

– Cours ! cria Trick.

Ils détalèrent. May lui lâcha le bras afin qu'ils soient plus libres de leurs mouvements. Elle entendait le 4 × 4 manœuvrer juste derrière eux. Elle savait bien qu'il ne pouvait pas grimper sur le trottoir pour les pourchasser, parce que d'abord il aurait fallu qu'il traverse deux files de voitures dans le sens inverse. Pourtant, c'est ce qu'il fit. Et ensuite il grilla un feu rouge, et un deuxième.

– Par ici !

May fila sur la gauche dans une petite rue, vers le grand terrain vague où des films étaient parfois projetés en plein air, l'été. Le 4 × 4 les suivit, coupant la route à deux voitures, et grimpa sur le trottoir pour ne pas les lâcher.

Une femme hurla, s'écartant vivement avec sa poussette. Un groupe de touristes s'engouffra dans une boutique de lingerie pour se mettre à l'abri. May et Trick couraient toujours. À un moment, elle trébucha et il la rattrapa. Quand il trébucha, elle le rattrapa à son tour. Elle n'en revenait pas. Ce gars n'avait pas peur de les traquer au milieu des passants, en pleine ville ! C'était de la folie ! Seul un malade pouvait oser faire ça !

Ils ne parvinrent pas à semer la voiture, pas une seule seconde. Preuve que le conducteur connaissait le quartier. Par chance, il n'y avait pas beaucoup de trafic. Ce n'est que ce détail, combiné à la réactivité des autres piétons, qui évita un accident. May avait entendu des gens hurler et surpris une conversation dans un portable : « Allô, police ? Je suis à Fremont et il y a un ivrogne qui conduit sur le trottoir... il a failli écraser un bébé... »

Elle était à bout de souffle. Elle n'en pouvait plus, mais le 4 × 4 ne leur laissait pas un instant de répit. Quand ils croyaient perdre le conducteur au bout d'un pâté de maison, ils le retrouvaient de l'autre côté une minute plus tard.

– On devrait... peut-être... se cacher... dans une boutique, haleta May.

Trick secoua la tête. Il avait raison. Il fallait semer ce type, surtout pas le mener dans un endroit où il pouvait les rattraper à pied et les coincer. Il lui prit la main pour l'entraîner vers le sommet de la colline, vers le troll, mais elle se dégagea de son emprise.

– Non, j'en peux plus.

C'est les trois seuls mots qu'elle fut capable d'articuler. Elle ne pouvait plus courir, et encore moins en montée.

La circulation était ralentie, ils avaient trente secondes devant eux, pas plus ; le 4 × 4 était bloqué au croisement de trois grandes artères. Mais ils étaient là, bien en vue, et le véhicule avait déjà une roue sur le trottoir pour contourner le bouchon et foncer sur eux, avec la ténacité d'un zombie.

– Tu as vu ? s'écria Trick. Le 4 × 4… il n'a pas de plaque d'immatriculation !

– Non…, souffla-t-elle.

Elle regarda à droite, à gauche, puis derrière. Elle crut entendre des sirènes au loin, mais ça ne voulait rien dire. Ça pouvait aussi bien être une ambulance ou un camion de pompiers. Ce n'était peut-être pas la police, et, même si c'était elle, elle arriverait trop tard, le 4 × 4 les aurait déjà rattrapés.

Elle se tourna à nouveau vers la droite et ce qu'elle aperçut lui coupa le souffle.

C'était le type en noir : le grand blond maigre, avec son jean en lambeaux, telle une momie. Et il la fixait. Quand il comprit qu'elle l'avait repéré, il lui fit signe d'approcher, puis disparut au coin de la rue.

C'était quitte ou double. Et elle n'avait pas vraiment le temps d'hésiter. Au moins, lui, il ne la pourchassait pas à bord d'une grosse voiture, ce qui était déjà mieux que l'autre type. Alors…

– *Qui vivra verra*, murmura-t-elle. Trick, par ici !

Elle lui prit le bras et se remit à courir.

– Vers le lac ?

– Oui, le lac !

Ça descendait, c'était déjà un soulagement. Et ce n'était pas loin, ce qui était encore mieux.

– Qu'est-ce que tu fabriques ? demanda-t-il avec une note de panique dans la voix.

Le carrefour se dégageait, le 4 × 4 n'allait sûrement pas lâcher l'affaire maintenant.

– Qu'est-ce que tu cherches ?

– Je ne sais pas encore...

May se figea brusquement alors qu'un bus la frôlait, lui crachant une bouffée d'air chaud dans la figure. Elle cligna des yeux, les essuya puis bafouilla :

– La voilà ! Je la cherchais... et la voilà.

Elle désignait une deuxième plongeuse en néon, assez semblable à la première, avec un maillot tout simple et un bonnet de bain. Elle était perchée sur le pont, prête à sauter par-dessus la rambarde pour plonger dans le canal.

May aperçut aussi autre chose : un éclair blond et noir, qui descendait vers la rive.

Elle prit la main de Trick. Elle était chaude et moite, comme la sienne.

– Par ici.

Ils quittèrent la chaussée, s'éloignèrent de l'agitation de Fremont pour dévaler la pente jusqu'au bord de l'eau. Sous leurs pieds, l'herbe mouillée céda la place à de gros cailloux. May vit des bateaux amarrés sur la rive – péniches, voiliers, barques, canots. Ils pourraient filer par la voie des eaux au besoin, comme Princess X, le 4 × 4 ne pourrait pas les suivre.

– Non, pas par ici, protesta Trick. On garde l'eau en dernier recours. Remonte.

Il avait raison. May se laissait entraîner par la gravité et l'épuisement, alors que ce n'était pas par là qu'ils devaient aller. Car ce n'était pas ce que la plongeuse désignait, elle s'en rendait compte, maintenant qu'elle était presque sous le pont.

La plongeuse pointait les bras vers une sorte de petite plateforme, où les piliers étaient renforcés, abritant le mécanisme permettant de soulever le milieu du pont. Le punk aux cheveux blonds presque blancs était d'ailleurs posté là. Il leur adressa un petit signe, puis recula dans l'ombre du pont et se volatilisa instantanément.

May entendait de plus en plus de sirènes, là-haut, et des lueurs bleues et blanches qui allaient et venaient sur le pont.

– Le 4 × 4... Tu crois qu'ils l'ont intercepté ?

– Sûrement. Les flics ont débarqué, il n'a pas pu descendre au bord du lac, même avec quatre roues motrices, affirma-t-il avec une assurance que May ne partageait pas. Ils ont dû l'arrêter.

Elle scruta les environs, pas vraiment convaincue. Elle n'était pas sûre que Trick ait un très bon sens de l'observation. Et elle non plus, d'ailleurs. Elle n'était pas sûre que le conducteur du 4 × 4 ait peur de la police – alors qu'il était assez dingue pour rouler sur les trottoirs en pleine journée dans un quartier bondé. Mais elle avait beau regarder de tous ses yeux, elle ne voyait rien.

Finalement, Trick demanda :

– C'était qui, le type en noir ?

Elle répondit :

– Je ne sais pas, mais il voulait nous donner un coup de main, je crois bien. C'est lui qui nous a indiqué la seconde sirène. Enfin, la plongeuse. Bref. Mais où est-il passé ?

– Je ne le vois pas.

Trick observait les alentours, la main en visière.

– Mais allons jeter un œil à ce qu'il voulait nous montrer.

– OK, je te suis.

Elle n'était pas aussi reposée que lui, pas encore – pas encore prête à repartir sur les rochers, pour se hisser sous les piles du pont. Mais elle le fit quand même, elle se traîna jusqu'à la petite plateforme en béton, juste au-dessous de la plongeuse.

Le punk blond n'était plus dans les parages. Mais une Princess X, avec ses baskets rouges et son épée violette, avait été peinte au pochoir sur les poutrelles métalliques soutenant le pont. May l'effleura du bout des doigts. La peinture était encore fraîche – si fraîche qu'elle distinguait son odeur, malgré la brise marine, malgré la puanteur – mélange de diesel, vieux appâts de pêche et guano – qui montait de l'eau.

– Il vient de peindre ça.

Elle passa la main au milieu du treillis de poutres métalliques reliées par des écrous de la taille de son poing, chercha à tâtons... et découvrit un objet plat, lisse et carré.

Elle se contorsionna pour le tirer de là. Il était enveloppé dans du plastique, tout scotché, comme le masque dans le réservoir des toilettes. Mais cette fois le paquet était plus grand. Plus dur. Plus lourd. De la taille d'un classeur. May passa la main dessus comme si elle cherchait à déchiffrer du braille. Elle mourait d'envie de l'ouvrir là, tout de suite, mais c'était impossible. Pas avec la police qui sillonnait le quartier et le dingue qui les traquait.

D'accord, ils avaient dorénavant quelqu'un de leur côté, quelqu'un qui était au courant pour Princess X et les indices, quelqu'un qui voulait les protéger du danger.

Mais quand même. Il y avait trop de monde aux alentours. Elle fourra le paquet dans sa sacoche, replia le rabat et la ferma.

Ils n'échangèrent pas un mot en remontant. Tous les deux cherchaient des yeux le gars en noir, mais il avait disparu depuis longtemps.

Une fois sur le pont, ils virent le 4 × 4, toutes portes ouvertes. Abandonné, avec une demi-douzaine de policiers qui s'affairaient autour comme des fourmis.

Ce n'était pas bon signe. Ça voulait dire que le conducteur était à pied maintenant. Qu'il pouvait les suivre n'importe où. Surtout qu'ils n'avaient aucune idée de l'allure qu'il avait.

Quand leur bus arriva, il n'y avait presque personne à bord, à part deux petites vieilles et des étudiants étrangers qui discutaient d'un devoir, visiblement. Trick et May s'installèrent dans le fond.

– Ce type..., commença-t-il.

– Ce type..., répéta May.

Et soudain elle sut qui était le punk, elle sut qui l'envoyait. Un grand sourire illumina son visage.

– Je te parie un million de dollars que c'était le corbeau !

– Oh, punaise, tu as raison, murmura-t-il. C'est ce crétin d'oiseau.

SEIZE

Pendant que May regardait par la fenêtre du bus, Trick sortit son smartphone et se connecta sur le chat de Gmail. OiseauN&B était là également. Un point vert brillait à côté de son pseudo.

ZHATTRICKZ : C'était toi, n'est-ce pas ? Tu viens de nous donner un coup de main.

OISEAUN&B : Bien obligé. Vous êtes vraiment nuls. Et j'avais raison : vous êtes dans son radar maintenant.

ZHATTRICKZ : Mon amie pense avoir vu sa voiture sur Capitol Hill. Elle a l'impression qu'il nous a suivis.

OISEAUN&B : C'est probable. Vous n'êtes pas franchement discrets. Il m'a fallu trente secondes pour trouver votre adresse et pas plus de dix minutes pour vous repérer dans la foule, tous les deux.

ZHATTRICKZ : Tu nous as suivis aussi ?

OISEAUN&B : Heureusement pour vous. Et, par chance pour moi, vous n'êtes pas doués pour semer les suiveurs. J'ai reconnu ton amie. On la cherchait – c'est pour ça que j'ai laissé le paquet.

ZHATTRICKZ : Bon... ben, merci, j'imagine. Qu'est-ce qu'on fait maintenant ?

OISEAUN&B : Il vous reste une dernière épreuve à passer. Enfin, ta copine, tout du moins. Le mot de passe est un ancien code de casier. Si elle le connaît, c'est bon.

Le point vert s'éteignit.

May se tourna vers Trick.

– Alors, du nouveau ? demanda-t-elle.

– Nan, fit-il en rangeant son portable. Juste un texto de ma mère. Je lui ai dit que tout va bien et que je serai de retour pour le dîner.

– Elle t'a cru ?

– Bah oui, pourquoi ?

Il haussa les épaules. Et pour changer de sujet il ajouta :

– Tiens, voilà notre arrêt.

DIX-SEPT

Ils ne rentrèrent pas directement. Pas tout de suite.

– Je crois que je deviens paranoïaque, avoua May alors qu'ils prenaient un café non loin de chez eux.

Elle tâtait le paquet plat comme si elle essayait de deviner le contenu d'un cadeau de Noël.

– Mais bon... ce gars a quand même essayé de nous *tuer*.

Trick lui tendit deux petits sachets de faux sucre et touilla son gobelet avec une paille.

– On n'en sait rien. C'est pas sûr.

– Il a voulu nous rouler dessus !

Il poussa un soupir résigné qui rida la surface de son café.

– Peut-être. Et peut-être qu'il est temps d'appeler la police... Si nos vies sont en danger, mieux vaut la prévenir, non ?

– Mais admettons qu'on aille voir la police... qu'est-ce qu'on lui dit ? Qu'on est entrés par effraction sur un chantier, qu'on a piraté des sites... ? Tout ça, pour prouver que la mort d'une fille a été mise en scène il y a trois ans ? Je suis sûre que ça se passera très bien. Ils ne risquent pas du tout de nous jeter dehors parce qu'on leur fait perdre leur temps. En plus, quand Princess X s'est tournée vers la police, ça a été un vrai succès, pas vrai ?

– C'est de la fiction. Là, on est dans la vraie vie.

– Ah bon, tu crois ? Je parie que Libby a vraiment contacté les flics, mais Mister Bones – qui qu'il soit – les avait prévenus qu'elle avait fugué, ou un truc comme ça. Je suis sûre que ça s'est réellement produit. Comme l'histoire de son père.

– Bon, d'accord. Tu as sans doute raison sur ce point, concéda-t-il. Mais je ne pense pas qu'ils vont nous arrêter juste parce qu'on veut déposer plainte. Ça commence à me flanquer la trouille. D'habitude, sur Internet, au pire, les gens menacent de me casser la gueule. Et ce sont en général des gros lards en caleçon qui vivent chez leurs parents, dans le sous-sol. Alors je ne risque pas grand-chose. Mais là, dans le réel, en chair et en os ? C'est différent. Complètement dingue.

May entreprit d'arracher le ruban adhésif du paquet posé sur ses genoux. Elle en souleva un petit coin en le grattant avec son ongle.

– Tu n'as pas tort, mais on est près du but. Vraiment près. La police risque de nous gêner plus qu'autre chose.

Il souffla à nouveau sur son café, y trempa les lèvres pour tester la température et en but une goulée.

– Bon, alors tu l'ouvres, ce paquet, ou tu vas te contenter de le tripoter toute la journée ?

– J'essaie, répondit-elle, mais il y a beaucoup de Scotch. Si tu es aussi impatient, passe-moi donc ton canif.

Avant qu'il ait eu le temps de réagir, le petit coin d'adhésif se souleva et elle ajouta :

– Non, c'est bon, finalement.

Tirant d'un coup franc, elle arracha un long morceau de Scotch. À l'intérieur se trouvait une sorte d'enveloppe en kraft, avec un lien à tirer. Elle s'ouvrit facilement.

– Alors, qu'est-ce que c'est ?

Trick tendit le cou pour mieux voir.

– Un étui pour ordi portable.

En flanelle douce et rouge, fermé par un bouton noir. Elle s'empressa de l'ouvrir et vida son contenu sur la table.

– Un étui avec une tablette à l'intérieur, constata-t-il.

Il s'en empara avant que May ait pu l'en empêcher.

– Un iPad, pas tout jeune. Avec une coque en plastique rouge. Ce n'est pas le tout dernier modèle, ni le plus esthétique, mais il doit être pratique, je suppose. Alors voilà donc le coffret rouge, de verre et de lumière.

– Rends-le-moi, ordonna May.

– Il n'y a rien d'écrit dessus. Les infos doivent être à l'intérieur. Allume-le, fit-il en le lui tendant à contrecœur.

Elle enfonça le bouton ON du pouce. La tablette démarra rapidement, affichant en fond d'écran un casier de collège fermé d'un cadenas.

– Il est chargé ? demanda Trick.

– Il reste assez de batterie, oui, répondit May en jetant un coup d'œil à l'icône correspondante.

Il tira sa chaise près d'elle.

– Alors il a été branché récemment, parce que ces vieux engins se déchargent très vite. Il y a un mot de passe ?

– Oui, mais il est très simple.

– Ah oui ?

– Arrête de me coller, s'te plaît, fit-elle en l'écartant du coude. Allez…

Avec application, elle entra les chiffres 1, 9, 2 et 8.

– Et c'est…

– Dix-neuf, deux et huit, la combinaison de notre casier, expliqua-t-elle tandis que l'écran de verrouillage disparaissait.

– Waouh ! Bravo. Le corbeau devait savoir qu'on allait venir, il devait l'avoir sur lui et l'a cachée juste avant qu'on arrive.

Elle releva la tête.

– Mais comment aurait-il pu être au courant ?

Trick était un peu mal à l'aise, comme s'il avait omis de lui révéler quelque chose. Sans lui laisser le temps de creuser la question, il haussa les épaules :

– Aucune idée. Maintenant montre-moi ce qu'il y a là-dedans. Je veux voir.

May avait également hâte de voir ce que la tablette contenait, elle lâcha donc l'affaire. Elle effleura l'écran, passant son doigt sur les icônes sans toutefois cliquer dessus.

– Y a pas grand-chose, que des applis basiques. Calendrier et horloge, infos… ce genre de truc.

Elle les activa l'une après l'autre.

– Et elles sont toutes vides.

Trick voulut lui prendre la tablette des mains, mais elle le repoussa, continuant à cliquer sur l'écran.

– Pourquoi quelqu'un nous laisserait-il un iPad vide ? murmura-t-elle. Il doit bien y avoir quelque chose…

– Tu as sûrement raison, répondit-il en cherchant à la contourner. Si tu voulais bien me laisser jeter un coup d'œil, je sais faire parler ce genre d'engin.

Elle finit par le lui passer.

– Je croyais que tu étais exclusivement fidèle à Microsoft.

– Oh, tout à fait. Windows est mon ami, affirma-t-il. Mais tu sais ce qu'on dit : « Il faut surveiller ses amis, et plus encore ses ennemis. »

– Tu entretiens vraiment une relation bizarre avec la technologie, tu sais.

– Tu n'es pas la première à me le dire. Ha ! Regarde. Il y avait deux fichiers cachés dans l'une des petites applis.

– Ah bon ? Quoi ?

– Attends, murmura-t-il, les doigts courant sur la surface vitrée. C'est juste un JPEG. Voilà.

Trick tourna la tablette vers elle tandis que l'image s'affichait sur l'écran.

R.I.P.
PEUT-ÊTRE QUE OUI, PEUT-ÊTRE QUE NON.

MAIS LÀ OÙ REPOSE LA PREMIÈRE PRINCESSE, EN TOUT CAS, CE N'EST PAS ICI.

NE CRAINS PAS LES CENDRES. TU TROUVERAS LE MIROIR NOIR DANS SA COUPE VERTE. TU EN AURAS BESOIN POUR VAINCRE MISTER BONES. TU AURAS BESOIN DE TOUS LES MOYENS DE PRESSION POSSIBLES.

– Trick, tu as lu la BD en entier, non ?

– J'y ai passé la nuit, et oui, je pense que j'ai été jusqu'au bout.

Elle fronça les sourcils en scrutant la tablette.

– Et tu as vu cette page en ligne ?

– Non, je ne crois pas.

Ils la repérèrent en même temps : en bas, sous la dernière case, une inscription en petits caractères. Si petits que Trick dut zoomer pour la déchiffrer : il s'agissait d'une URL.

– On peut cliquer dessus ? demanda May en tendant le doigt, au cas où.

– Non, c'est inclus dans l'image, ce n'est pas un lien. Passe-moi un stylo, s'il te plaît.

Elle fouilla dans son sac jusqu'à en dénicher un, puis prit une serviette en papier.

– Vas-y, dicte.

Il s'exécuta. L'adresse était une longue suite de chiffres et de lettres, à part la mention « dropbox » au début.

Pendant que Trick se connectait au wi-fi du café, May le questionna :

– C'est quoi, ça, « dropbox » ?

– C'est un site de stockage, l'adresse doit nous mener à un fichier hébergé là-bas.

Il ouvrit le navigateur internet et entra l'adresse méticuleusement.

Une page se chargea.

C'était un autre JPEG, une simple image scannée – les deux faces d'un permis de conduire et d'un badge de travail, appartenant à un certain Kenneth Mullins, nom que Trick et May soufflèrent en chœur.

Puis Trick ajouta en lisant le badge :

– Il travaille au service technique du centre médical de l'université de Washington. Enfin, il y était en 2008.

– Tu crois qu'il s'agit de Mister Bones ?

– Peut-être, murmura Trick en agrandissant l'image.

– Il a l'air...

Elle scruta les photos d'identité. C'était un homme blanc, aux cheveux châtains, à peu près de l'âge de son père.

– ... normal.

– Comme tous les criminels.

– C'est ce qu'on dit à chaque fois qu'on arrête un *serial killer*. Personne n'a jamais rien remarqué de bizarre à son sujet... Soit les gens ne font pas attention, soit être « normal » n'est pas un compliment, finalement.

May frissonna sans même s'en rendre compte.

– Il faut que je rentre à la maison, murmura Trick.

– Comment ?

– Tu as entendu, répéta-t-il plus fort. Allez, viens, tu es invitée aussi. Ça ne prendra pas longtemps, mais il faut que je sois sur ma machine pour essayer.

– Quoi ? Qu'est-ce que tu veux essayer ?

Il lui rendit la tablette.

– Je t'expliquerai en chemin.

May rangea la tablette dans la pochette puis dans sa sacoche. Elle débarrassa la table en partant. Comme ils n'étaient qu'à deux ou trois pâtés de maisons de chez eux, les explications de Trick attendirent qu'ils soient en tête à tête à bord de l'ascenseur le plus lent du monde, qui grimpait péniblement à son étage.

– Même si on n'a pas assez d'infos pour trouver où habite ce gars, dit-il en regardant les numéros s'allumer un à un, on en a assez pour trouver la tombe de sa fille.

– On a son permis de conduire.

– Qui date de 2008. Ça m'étonnerait qu'il vive encore sur South Mercer Street. Je te parie qu'il habite sur l'île de Bainbridge. En revanche, la tombe de sa fille... est sûrement beaucoup plus près. Et c'est là que la BD de la tablette veut nous envoyer.

– Tu veux aller sur sa tombe ?

May n'était pas surprise, mais un peu paniquée. Elle ne voulait pas faire sa chochotte, mais fouiller une tombe, c'était quand même... beurk ! Et puis creuser en plein air, comme ça, ça risquait d'attirer l'attention.

– Bien sûr. D'après la BD, elle est vide, et on pourrait trouver le miroir noir dans la coupe verte.

– Un cercueil, ce n'est pas vraiment en forme de coupe.

– Un cercueil, non...

Un carillon retentit. Les portes s'ouvrirent.

– ... mais une urne, oui. C'est bien en forme de coupe. Et la BD dit bien : « Ne crains pas les cendres. »

– La dernière fois qu'il était question d'une coupe, ou d'un « calice », c'était des toilettes... alors tout est possible, j'imagine. Tu as peut-être raison, elle a peut-être été incinérée. En tout cas, ça nous arrangerait bien.

Brusquement, et malgré elle, les obsèques de Libby lui revinrent en mémoire. Son amie n'avait pas été incinérée. Elle avait été enterrée dans un cercueil argenté. May se rappelait avoir pensé que les poignées seules valaient sûrement plus que tous les bijoux de sa mère réunis. Et qu'ils allaient enterrer ça et l'oublier... parce qu'ils en avaient les moyens. C'était affreux d'avoir ce genre de pensée mercantile à l'enterrement de sa meilleure amie. Elle sentit une bouffée de honte lui monter aux joues, tant d'années après.

Mais peut-être qu'à l'époque il s'agissait d'un mécanisme de défense, s'abandonner dans la contemplation de l'argent qui reflétait les lueurs de l'église, pour ne pas penser à leur casier, à leurs T-shirts assortis ou à Princess X. C'était le seul moyen qu'elle avait trouvé pour ne pas perdre pied - se concentrer sur l'instant présent afin de ne pas penser à tout ce qu'elle avait partagé avec Libby, tout ce qu'elle avait perdu.

Trick poursuivit :

– Si on a vu juste et que Mister Bones a échangé le corps de sa fille et celui de Libby, alors elle est enterrée dans la tombe de Libby. Et donc celle de la fille de Ken est vide. Il n'y a personne dedans. Pas de cadavre, je veux dire.

Il sortit ses clés, ouvrit la porte de l'appartement, lança pour s'annoncer un petit :

– Salut ! C'est nous !

Personne ne répondit.

May le suivit à l'intérieur, fronçant les sourcils, perplexe.

– Ken a quand même dû faire une cérémonie pour disposer du corps de sa fille. Dans la BD, ils ne parlent pas de sa mère, elle n'est peut-être plus de ce monde... mais elle avait forcément des grands-parents, des cousins, des tantes, des oncles. Quelqu'un. Et ce quelqu'un avait besoin d'une tombe pour se recueillir.

Trick poussa du coude la porte de sa chambre.

– Bah, il lui fallait juste un sac de cendres récupérées dans une cheminée, ou même juste un tas de litière pour chat ou je ne sais quoi. Il n'avait qu'à raconter aux gens qu'il l'avait fait incinérer après avoir récupéré son corps. Personne ne risquait de lui réclamer de preuve.

Il se pencha pour atteindre un interrupteur, derrière l'un des moniteurs sur son bureau. Des voyants s'allumèrent, des bips annoncèrent que la machine démarrait. Elle se mit à bourdonner.

– Euh... hum..., fit May en désignant la tour. Tu n'avais pas été piraté, au fait ? L'autre jour, tu étais super contrarié...

– Je suis toujours extrêmement contrarié, mais je ne peux pas y changer grand-chose. Si c'est vraiment Ken Mullins qui m'a refilé ce logiciel espion et si c'est bien lui qui conduisait le 4 × 4 à Fremont, alors il sait déjà qu'il est dans notre collimateur. Il peut me regarder farfouiller dans les bases de données si ça lui fait plaisir. Il est au courant qu'on a son nom et ses données personnelles, il risque d'y réfléchir à deux fois avant de nous embêter à nouveau.

Il s'interrompit un instant avant de reprendre :

– Comme il l'a dit... enfin, comme dit le corbeau dans la BD, il faut qu'on ait de quoi faire pression, et pas moyen de faire pression s'il n'est pas au courant de ce qu'on a sur lui.

– Pour plus de sécurité, on devrait peut-être prendre mon ordi portable, tenta-t-elle.

– Impossible. Ou alors il faudrait que je passe tout un après-midi à télécharger, installer et configurer les programmes dont j'ai besoin. Écoute...

Il se retourna face à elle, pivotant sur sa chaise de bureau.

– Tu l'as dit toi-même, ce type a essayé de nous faire passer sous sa voiture. Il sait à quoi on ressemble. Il sait sans doute également où on habite. Il a dû me localiser en deux secondes grâce au logiciel espion, les doigts dans le nez. Et si tu as vu juste et qu'il nous a suivis jusqu'à Fremont... Eh bien... dans ce cas... la meilleure chose à faire, c'est de... c'est de...

– Oui ? l'encouragea-t-elle avec plus de ferveur qu'elle ne l'aurait voulu.

Elle était impatiente de connaître son plan, parce qu'elle, elle n'en avait pas.

Il avala sa salive et pinça les lèvres.

– Eh ben, il va falloir qu'on lui force la main, miss.

– Hé, c'est pas un jeu, mec ! Et ne m'appelle pas « miss ».

– Alors ne m'appelle pas « mec » ! Mais, quoi qu'on fasse, il faut agir vite. On est à pied ou en bus. Il a une voiture.

– Il l'a abandonnée sur le pont, tu as oublié ?

– Il a pu en voler une autre. Tiens, ça, je peux facilement le vérifier. Une minute...

La chaise pivota de nouveau face aux écrans.

Trick fit craquer ses doigts avant de se mettre à pianoter.

– Il n'a pas pu voler une voiture aussi rapidement, objecta May.

– Je préfère être sûr, marmonna-t-il. Passe-moi la tablette, je voudrais jeter un nouveau coup d'œil à ce fichier.

Elle la lui tendit et le regarda taper le numéro de permis de Ken dans une fenêtre – une sorte de moteur de recherche, mais pas Google.

– Tu regardes sur Dropbox ?

– Non, c'est une base de données administrative. Tout ce qui stocké là-dedans est public alors, techniquement, ce n'est même pas illégal de fouiner. Tiens...

Une colonne de texte illustrée d'un portrait plus grand de Ken Mullins s'afficha.

– Oh, bon sang... OK... OK...

Alertée par le son de sa voix, May se pencha pour lire par-dessus son épaule.

– C'est quoi ?

– Son casier judiciaire.

Sa gorge se serra. Elle avait la bouche sèche.

– Il a un casier ?

– Deux amendes pour excès de vitesse, quelques contraventions pour stationnement interdit, et... attends... ça, c'est plus intéressant...

Il immobilisa le curseur, désignant un bloc de texte.

– Une dénommée Linda Hall a obtenu une ordonnance restrictive contre lui en 1993, mais il semblerait qu'elle l'ait retirée ou abandonnée ou je ne sais quoi. Un an plus tard, une certaine Kathy Larsen a fait de même, il l'a enfreinte deux fois. Elle n'a pas porté plainte, mais il a quand même écopé d'une condamnation avec sursis.

– C'est un pervers, alors.

May agrippait nerveusement le dossier de la chaise de Trick.

– On dirait bien. Voyons ce que je peux trouver d'autre.

Deux minutes plus tard, parcourant une nouvelle page de listes, tableaux et chiffres, il annonça :

– En 1995, Ken Mullins a épousé Elaine Akiyama.

– Akiyama... C'est un nom d'origine japonaise, non ?

– Oui, sûrement. Elle est morte il y a quelques années dans un accident de voiture. Et voilàààà...

Il fit traîner la voyelle finale pour annoncer théâtralement :

– ... le certificat de décès de la première princesse : Christina Louise Mullins. Elle avait un an et deux mois de moins que Libby. Gémeaux. Morte d'une leucémie aiguë lymphoblastique le lendemain du décès de ton amie. Enfin, de sa disparition. Bref, tu m'as compris.

– Une leucémie. C'était donc bien un cancer.

D'un geste vif, il ouvrit une autre fenêtre et tapa le nom de la maladie dans un moteur de recherche.

– Plus précisément un cancer de la moelle osseuse, une sorte de cancer des os.

– Oh, mon dieu. Oh là là…

May en avait le vertige. Toutes les pièces du puzzle se mettaient en place : le dossier médical, la fille à l'hôpital… et bien sûr la fille grise et le bateau plein d'os.

– Elle est morte d'une leucémie et Libby était une donneuse compatible. Sa moelle osseuse aurait pu la sauver, c'est ce que dit la BD.

– Ouais, c'est complètement dingue.

Il se replongea dans sa lecture, marmonnant dans sa barbe. Il allait dire quelque chose quand le téléphone sonna quelque part dans l'appartement.

– Vous avez un téléphone fixe ? s'étonna May. Je croyais que mon père était le seul sur terre à posséder encore une ligne fixe.

Trick leva la tête de son écran.

– Ouais, et ces derniers temps…

Il s'interrompit, laissant sonner, sonner, sonner, avant de crier sèchement :

– Surtout ne réponds pas !

Elle fronça les sourcils.

– Je n'allais pas répondre. Il n'y a sûrement personne au bout du fil, de toute façon.

– Pourquoi tu dis ça ? fit-il, en la dévisageant avec une intensité telle qu'elle paniqua.

– Parce que c'est pareil chez mon père. Le fixe sonne… et quand tu décroches il n'y a personne au bout du fil.

Il plissa les yeux, sans répondre.

Trick et May attendirent que le téléphone se taise enfin, puis il reprit :

– Ce n'est sûrement pas une coïncidence. C'est trop bizarre…

– Tu penses que c'est Ken ?

– Oui, peut-être qu'il nous surveille, qu'il veut savoir si on est à la maison ou nous menacer ? Ou alors il veut obtenir des infos de nos parents, je ne sais pas.

Il retourna à son ordi.

– Quand on aura fini avec ça, je me connecterai aux archives de la compagnie de téléphone. On arrivera peut-être à trouver qui nous appelle, et si c'est juste une erreur… tant mieux. Mais pour l'instant, une chose à la fois. Commençons par la tombe de Christina.

Il pointa l'index sur l'écran.

– On a juste un numéro de casier dans une crypte. J'avais raison, elle a été incinérée… On a de la chance !

– Pourquoi ça ? demanda May, perplexe.

– Parce qu'elle est au cimetière de Lake View, à vingt minutes à pied d'ici. On n'a même pas besoin de prendre le bus. Il nous faut juste de quoi nous introduire dans la crypte. Je vais prendre le kit d'urgence automobile de ma mère. Il y a un truc pour casser les vitres de la voiture au cas où. Ça pourra sans doute nous servir…

– Et pourquoi il n'est pas dans sa voiture ?

– Elle l'oublie sans arrêt.

Trick se leva d'un bond de sa chaise pour aller fouiller dans un placard de l'entrée. Il revint avec un sac en toile rose qu'il brandit sous son nez d'un geste théâtral.

– Il est rose, constata May.

– Ben oui. Parce que c'est pour les filles.

– Tu sais que c'est complètement débile, ce que tu viens de dire.

– C'était du second degré, se défendit-il.

– Mm, j'espère. Tu veux que je le porte, pour t'éviter d'avoir la honte ? proposa-t-elle en tendant la main.

– On n'a pas besoin de prendre le tout, juste l'espèce de marteau. Il est rose aussi, mais je n'ai pas de problème de virilité.

Il sourit en fourrant le marteau dans sa sacoche.

Le téléphone retentit à nouveau.

– On l'ignore, fit-il.

– OK, alors on y va ! le pressa May. Cette vieille sonnerie… ça me rend dingue.

– Tu as la tablette ?

– Je la prends, dit-elle en rassemblant ses affaires.

– Il faut qu'on se dépêche. C'est sans doute notre seule ouverture. Tu cours vite avec ces chaussures ?

Elle lui sourit.

– Plus vite que toi, mec.

– Alors prouve-le, miss !

DIX-HUIT

– Limace ! haleta May en s'appuyant contre le portail du cimetière.

Elle avait les orteils en compote et un lacet défait. Elle s'accroupit pour le rattacher, diversion bienvenue pour cacher le fait qu'elle était au bord de l'évanouissement.

Trick la rejoignit, puis se ravisa et s'affala au bord du trottoir.

– T'as raison, répondit-il, à bout de souffle. Je suis une limace. Et, effectivement, tu cours plus vite que moi. C'est ce que tu voulais entendre ?

– Oui, et tu me le répéteras dix fois par jour, s'il te plaît.

Elle sourit, essuyant quelques gouttelettes de pluie sur ses joues.

– Allons-y !

Un panneau à droite du portail annonçait : CIMETIÈRE DE LAKE VIEW, en précisant quelques détails comme les horaires d'ouverture, l'année de sa création et la localisation du bureau d'accueil. May et Trick avaient tout le temps devant eux avant de se retrouver coincés derrière les portes closes en compagnie des corbeaux, des écureuils et des arbres cadavériques.

– Tu es déjà venu ?

– Oui, mais il y a longtemps.

Tous les élèves de Seattle passaient forcément par le cimetière à un moment ou à un autre de leur scolarité pour un petit cours d'histoire locale. Les fondateurs de la ville et les personnalités les plus importantes du siècle dernier étaient enterrés ici. May scruta les alentours, la main en visière pour se protéger les yeux de la lumière éblouissante du ciel blanc laiteux.

– Tu as le numéro de casier de Christina, c'est bien ça ?

– Ouais, confirma-t-il en se remettant debout. Il y a un bâtiment de l'autre côté de la colline, c'est peut-être là-bas… un genre de… bibliothèque pour ranger les morts…

– Une bibliothèque pour ranger les morts. Je n'arrive pas à savoir si c'est cool ou sinistre.

– Ça ne peut pas être les deux à la fois ? hasarda Trick.

– Bah, si, pourquoi pas.

C'est le moment que choisit le portable de May pour faire entendre sa sonnerie retentissante.

Consultant l'écran, elle annonça :

– C'est mon père. Je me demande ce qu'il veut.

– Si tu répondais, tu le saurais.

– Nan…

Elle secoua la tête.

– On n'en a pas pour longtemps. Je le rappellerai quand on aura fini.

Ensemble, May et Trick filèrent à travers le champ de tombes, suivant les allées étroites ou slalomant entre les haies, les stèles et les arbres immenses quand ça leur chantait. Trick avait raison : sur l'autre versant de la colline se dressait un bâtiment blanc, tout en longueur, de la taille d'une petite station-service. Tout en marbre blanc et ouvert aux deux extrémités, sans toit, c'était en effet une sorte de bibliothèque des morts en plein air (May ne pouvait chasser cette image maintenant que Trick la lui avait mise en tête).

C'était clair, propre, presque stérile. À l'intérieur, il y avait un peu d'écho et rien à voir, à part les petites plaques rectangulaires indiquant qui reposait ici.

Cette fois, ce fut le portable de Trick qui sonna. La musique de *Docteur Who* résonna dans l'espace vide le temps qu'il réussisse à faire taire le téléphone.

– Désolé, marmonna-t-il, sans doute à l'intention des morts.

– C'était qui ?

– Ma mère.

– Et tu n'as pas décroché ?

– Tu n'as pas répondu à ton père non plus.

– C'est vrai, reconnut-elle. Mais profaner une sépulture, c'est plus important que de choisir la garniture de la pizza de ce soir. À moins que...

Elle se tourna brusquement vers lui, soudain nerveuse.

– À moins que... tu crois qu'il s'est passé quelque chose ? Qu'ils ont besoin de nous ? Qu'ils nous cherchent ?

– Ce sont des parents. Ils passent leur temps à nous chercher.

Son téléphone sonna à nouveau. Il le coupa et le fourra dans sa poche.

– Ma mère ne me lâche pas.

– Oui, mais mon père n'est pas trop comme ça, d'habitude. Bon... c'était quoi, le numéro de Christina ?

– Peu importe, répliqua Trick en se rendant au bout de la rangée. Ils ne sont pas indiqués sur les plaques. Ce numéro ne sert sûrement que pour les registres du cimetière. Je commence par ici et toi par l'autre bout, OK ? Préviens-moi si tu la repères.

May effleura les plaques de bronze du bout des doigts. Certaines étaient plus brillantes que d'autres, mais elles étaient toutes de la même forme et de la même taille, avec un nom, une date, un tiret, une autre date, le tout dans la même écriture. Aucune personnalisation. C'était triste. Et morne.

Ses ongles crissèrent, les baskets de Trick faisaient presque le même son, un peu plus fort, sur le sol de marbre couvert de feuilles mortes. Elle hésita devant une CHRISTINE, mais continua jusqu'à ce qu'elle puisse s'exclamer, sans aucun doute possible :

– Je l'ai !

Trick la rejoignit d'un bond.

– C'est vrai ?

– Ouaip, Christina Louise Mullins. La voilà. Enfin, théoriquement.

– Mensongiquement, oui, corrigea-t-il en sortant le petit marteau rose de sa sacoche.

– Tu veux que je le fasse ? proposa May.

Il recula légèrement afin de pouvoir contempler le cimetière dans son dos.

– Non, c'est bon.

La voie était libre. Il leva le petit marteau rose, visa un coin sous le nom de Christina... puis s'arrêta tout à coup.

May, qui montait la garde, se retourna vivement.

– Qu'est-ce que tu fabriques ? Allez, vas-y.

– Quelqu'un est passé avant nous. Regarde, il y a une fissure...

Elle la frôla. Le morceau de pierre remua légèrement.

– Passe-moi le marteau, ordonna-t-elle en claquant des doigts.

– Parce qu'il est rose.

– Parce que je veux utiliser l'autre côté de la tête, pour faire levier. Je parie qu'on peut facilement faire sortir ce truc.

Elle prit l'outil et introduisit le côté métallique le plus fin dans la fissure. Avec un petit crissement, un morceau de pierre triangulaire céda. Trick le rattrapa de justesse avant qu'il ne tombe par terre.

De la poussière de ciment saupoudra leurs chaussures. May glissa la main dans le trou. Elle ne savait pas ce qu'elle s'attendait à y trouver – pas de rongeurs ni de cafards, pitié ! Elle sentit une forme courbe, lisse, sous ses doigts.

– C'est l'urne.

– Tu ne peux pas la sortir par ce trou, affirma-t-il.

– Non, petit génie. Mais...

Elle prit appui contre la paroi de marbre et poussa la plaque de pierre par l'intérieur. Elle résista un peu au début, puis céda petit à petit.

May et Trick récupérèrent la dalle tous les deux car elle était plus lourde qu'elle n'y paraissait. Ils la posèrent délicatement au sol, jetant des coups d'œil frénétiques aux alentours, espérant que personne ne les avait vus.

Le portable de May ne cessait de vibrer, résonnant par intermittence contre la pierre.

– Ça peut attendre, murmura-t-elle.

Puis, comme Trick lui lançait un drôle de regard, elle ajouta :

– C'est sûrement encore mon père.

Elle regarda dans le trou.

– Ha ha, l'urne est verte. Donc il s'agit bien de la coupe verte.

– J'aurais deviné même sans ta perspicacité sans faille. Les indices sont de plus en plus faciles à décoder.

– Ça veut dire qu'on se rapproche. Les indices ne viennent plus seulement de la BD en ligne, maintenant. Il y a aussi le corbeau. Libby a dû lui demander de nous aider.

– Tu crois ?

Leurs mains se frôlèrent dans le trou. Leurs regards se croisèrent en même temps. May soutint son regard.

– Oui, je crois.

Elle le repoussa légèrement pour prendre l'urne seule, et la sortir dans la lumière grisâtre de l'après-midi. Elle la tourna entre ses mains, examinant si l'extérieur recélait un indice quelconque. Elle était de la taille d'un bidon de peinture, d'un vert émeraude brillant, avec des poignées en cuivre.

Elle la leva à hauteur de sa tête pour la secouer doucement.

– J'entends quelque chose qui cogne à l'intérieur. Tu as ton canif sur toi ?

– C'est un *couteau suisse*, lui rappela-t-il pour la énième fois.

Il le sortit néanmoins de sa sacoche.

May choisit l'outil qu'il lui fallait – pas une lame, mais un tournevis plat – et le glissa entre le corps et le couvercle de l'urne, en l'agitant avec précaution. Le sceau se brisa avec un petit *plop*, libérant le couvercle et laissant échapper un léger nuage de ce qui, il fallait l'espérer, n'était pas des cendres d'être humain.

Trick se cacha le visage au creux de son bras et parla à travers sa manche.

– Fais gaffe !

– Je *fais* gaffe ! De toute façon, il n'y a personne là-dedans.

Elle posa le couvercle pour regarder dedans. Des volutes d'une sorte de fumée grise s'élevaient dans les airs. Elle retint sa respiration afin d'éviter d'en inhaler davantage et scruta l'intérieur sombre.

– Vas-y, donne. Je vais fourrer ma main dedans. Je suis pas une poule mouillée, moi.

– Ta main ne passera pas, répondit-elle. La mienne non plus, d'ailleurs.

– Alors qu'est-ce que tu suggères ? la questionna-t-il, mais elle était déjà en train de sortir l'urne du bâtiment pour l'examiner à la lueur du jour, alors que n'importe quel visiteur pouvait les voir.

May regarda à gauche, à droite, puis vers la rangée de plaques. Elle ne vit personne à part Trick. Ce qui se trouvait dans cette urne n'était pas Christina Mullins. Elle le savait, elle en était convaincue, et de toute façon il n'était plus temps de faire machine arrière. Libby était en vie. Cette urne était une nouvelle preuve, et sans doute un moyen de faire pression sur Mister Bones. Ils allaient coincer ce type et elle allait retrouver Libby une bonne fois pour toutes.

Elle vida donc les cendres sur le sol.

– Bon dieu ! s'écria Trick.

– Il s'en moque ! affirma May.

Les cendres se soulevèrent et s'éparpillèrent, portées par le moindre souffle d'air humide.

Elle continua à secouer l'urne retournée, qui émettait un tintement métallique. Elle la pencha sur le côté, variant l'angle et, dans un nouveau fracas, un portable ultra-plat en sortit.

Il tomba au milieu des cendres, les éparpillant encore davantage, saupoudrant la pelouse tout autour d'eux.

Trick tendit la main vers le téléphone, puis se ravisa.

– Si ! T'es une poule mouillée, affirma May.

Elle saisit le portable et l'essuya dans l'herbe, puis sur son pantalon, révélant sa surface chromée et brillante.

– Voilà donc notre miroir noir.

– Sauf qu'on n'est pas certains que tout ça, ce ne soit pas des cendres.

– En fait, je crois bien que ce sont des cendres, corrigea-t-elle.

Elle éternua, faisant voleter les particules grisâtres.

– Mais ce doit être des cendres de cheminée, un truc du genre. On ne dirait pas du tout des cendres humaines.

Comme la tablette qu'ils avaient trouvée, le téléphone n'était pas de la toute dernière génération. Les pellicules gris pâle s'étaient insinuées tout autour du bouton de marche et de l'écran. May eut beau le frotter contre son jean, elle n'arrivait pas à le nettoyer parfaitement. Quand il fut relativement propre, elle l'alluma. L'écran d'accueil des vieux iPhones s'afficha. Il n'y avait pas d'image, juste les bulles qui bougeaient paresseusement. Et, comme sur la tablette, tout le superflu avait été désinstallé – pas d'applis, pas de photos, pas de jeux.

– Va voir la liste de contacts, suggéra Trick par-dessus son épaule, répugnant toujours à toucher l'appareil.

– Tu es encore plus chochotte que je ne le croyais, commenta-t-elle.

Elle appuya sur l'icône concernée, mais, avant que le répertoire ne s'ouvre, un bip annonça l'arrivée d'un texto.

Surpris, ils sursautèrent. May en lâcha même le téléphone, qui tomba dans l'herbe. Elle se pencha pour le ramasser, mais le message avait déjà quitté l'écran. Elle dut ouvrir le dossier sms pour le retrouver.

Trois mots s'affichèrent sous ses yeux effarés :

Ne rentrez pas.

Puis un second message compléta :

Votre immeuble passe aux infos.

Ils fixèrent l'écran sans un mot, relisant les deux phrases, stupéfaits. Puis Trick remarqua :

– Le téléphone ne reconnaît pas l'identité de l'appelant, mais ce n'est pas étonnant vu qu'il n'y a pas de contacts enregistrés.

– Ce doit être le corbeau.

Le portable de May se remit à vibrer, tout comme celui de Trick. En y jetant un coup d'œil, elle constata que son père l'avait appelée sept fois au cours de la dernière heure, et qu'il la rappelait à nouveau. Si leur immeuble passait aux infos, elle avait envie de savoir pourquoi. Trick dégaina son téléphone sien au même moment. Ils s'écartèrent l'un de l'autre pour prendre leurs appels respectifs.

– Papa ? fit-elle.

– Maman ? entendit-elle tandis que Trick répondait dans son dos.

Son père paraissait complètement paniqué.

– Mais, bon sang, où es-tu passée ?

– En... en balade avec Trick.

Elle s'efforça de prendre un ton détaché qui ne trompa sûrement personne.

– On se promène. On vient de prendre un café et un chocolat chaud.

– Arrête. Je t'ai vue aux infos. Avec ton copain, vous essayiez d'échapper à une voiture à Fremont. Vous êtes encore là-bas ? Je viens vous chercher.

– Non, papa. On est sur Capitol Hill. Mais... hum... comment tu as su ça ? Et pourquoi notre immeuble est passé aux infos ?

– Le 4 × 4 qui a foncé à travers Fremont... des tas de gens l'ont filmé avec leur portable. Ça tourne en boucle à la télé. J'ai appelé la police quand je t'ai reconnue. Et un prof de ton copain l'a identifié également. Vous êtes recherchés tous les deux.

– Mais qu'est-ce que la police nous veut ? On n'a rien fait.

– Le type qui vous poursuivait a renversé une femme près de l'église, puis une fillette qui promenait son chien. Ils ont été blessés, mais il s'est enfui. Est-ce que... ?

Il changea le combiné de position. May entendit le frottement de sa manche de chemise.

– ... ça a un rapport avec Princess X ? Dis-moi la vérité, May.

Elle se sentit rougir, honteuse sans bien savoir pourquoi, peut-être parce qu'elle était passée à la télé sans être au courant. Elle espérait qu'elle n'était pas trop mal coiffée.

– En fait..., commença-t-elle.

Dans son dos, Trick avait visiblement le même genre de conversation avec sa mère.

– Calme-toi, maman. On va bien. Tout va bien. Tout le monde va bien.

Silence.

– OK, peut-être pas les blessés, mais May et moi, ça va. Quoi ? Pourquoi Jim est à l'hôpital ?

May plaqua son téléphone contre sa poitrine pour éviter à son père d'entendre et chuchota :

– Qui est à l'hôpital ?

– Le petit ami de ma mère, murmura-t-il. Quelqu'un est entré chez nous par effraction.

Elle recolla le téléphone à son oreille. Son père était au beau milieu d'une phrase, mais elle l'entendit à peine.

– ... où tu es, je viens te chercher. Il se passe un truc moche. J'aimerais que tu me dises si tu as des ennuis.

– Non... je n'ai pas vraiment d'ennuis, marmonna-t-elle, tout en tentant d'écouter ce que disait Trick en même temps.

Son ami essayait vainement de placer un mot.

– Mais il va bien, hein ? Ouf, tant mieux. Je peux te poser une question : et mon ordi, il est dans quel état ?

Le père de May s'emporta :

– Comment ça, « pas vraiment » ?

Trick piquait une crise.

– Quoi !? Qu'est-ce qui s'est passé ? Qu'est-ce qu'ils ont pris ? D'accord... qu'est-ce qu'ils ont cassé ?

– Papa ! fit-elle d'un ton ferme, le coupant au milieu de sa tirade, que de toute façon elle n'avait pas écoutée. Est-ce que quelqu'un a cherché à pénétrer dans notre appartement ?

– Non, mais il y a eu un cambriolage dans l'immeuble. Les pompiers ont emmené quelqu'un sur une civière. J'ai failli avoir une attaque !

– Mais ça va, hein ? Tu vas bien ?

– Oui, ça va. Ne t'occupe pas de moi. C'est mon job de m'inquiéter pour toi. Ça fait une heure que j'essaie de te joindre. Pas la peine d'avoir un portable si tu ne réponds pas quand on t'appelle.

– Ne t'énerve pas ! fit-elle avec un petit rire forcé. J'ai fini par répondre, non ? Je suis désolée, je te jure.

– May ?

Elle perçut dans sa voix une note menaçante.

– Je veux que tu rentres immédiatement à la maison.

– Je ne peux pas, souffla-t-elle.

– Tu as intérêt à obéir, jeune fille !

Il s'interrompit brusquement et sembla s'adresser à quelqu'un d'autre :

– Oui, je l'ai au bout du fil. Elle va bien. Elle est avec l'autre gamin, Patrick.

– Papa, je ne peux pas rentrer à la maison, reprit-elle d'un ton plus ferme. Pas tout de suite.

– Pourquoi pas tout de suite ?

– Libby est en vie, papa. Elle est en vie et je vais la retrouver. Je vais la sauver.

– May, arrête !

– Mister Bones existe vraiment, on va le coincer, ajouta-t-elle.

Et avant qu'elle change finalement d'avis, avant qu'il tente de la convaincre d'abandonner... avant qu'elle se mette à hurler, à pleurer, à le supplier de lui faire confiance, elle prit une profonde inspiration et coupa la communication.

Elle éteignit son téléphone et se tourna face à Trick, qui venait de faire la même chose.

Il était de la même teinte grisâtre que les cendres de l'urne et semblait aussi secoué que May.

– Alors ?

– Alors..., répondit-il. Le corbeau a raison, si c'est bien lui qui nous a envoyé les textos. On ne peut pas rentrer chez nous. Le copain de ma mère s'est fait poignarder et Ken a pris mon ordi.

May remarqua alors qu'elle avait les mains qui tremblaient. Elle essuya son portable sur sa manche.

– Bon, qu'est-ce qu'on fait ? Où on va ?

Le téléphone récupéré dans l'urne lui donna la réponse grâce à un nouveau texto :

Laissez la tablette dans le casier de CM.

– Ici ? Il veut qu'on la laisse ici ? demanda May sans savoir si elle s'adressait au téléphone, à Trick ou à elle-même. Mais ce n'est pas possible. C'est une preuve, c'est un moyen de pression !

– Je ne sais pas, May. Je pense que l'oiseau a raison, affirma Trick. Sur la tablette, il y a la page de BD avec le lien vers le Dropbox contenant toutes les infos sur Mullins. S'il nous chope, il pourrait nous la prendre et la détruire.

– Bon, d'accord, on peut la laisser ici, céda-t-elle. Mon père sait qu'on enquête sur Princess X, même s'il ne veut pas croire que Libby est en vie... Il est au courant que sa mère a été assassinée. Si on lui donne tout ça, il comprendra à quoi ça fait référence et, s'il nous arrive quelque chose, il pourra le remettre à la police.

– Ce n'est peut-être pas le moyen de pression dont on rêvait, mais... s'il nous arrive quelque chose, répéta-t-il en avalant péniblement sa salive, c'est mieux que rien.

– Je vais... je vais envoyer un texto à papa pour lui dire où chercher... au cas où, décida-t-elle.

Ils prirent la tablette dans le sac de May et la glissèrent dans le casier aux côtés de l'urne, puis replacèrent ensemble la lourde dalle de pierre.

Quand ils eurent fini, May prit le téléphone et répondit au sms :

Fait. Et maintenant, Corbeau ? Où on se retrouve ?
Où est Libby ?

Il répondit :

Gare de King Street.

DIX-NEUF

Il était une fois Jacob Raykes.

D'une pâleur fantomatique et d'un blond presque blanc, dès la naissance. Pourtant les gens s'imaginaient soit que ce n'était pas naturel, soit qu'il s'agissait d'une maladie. Au choix.

Au lycée, les autres le traitaient de *freak*, de gothique et de pédale. Il répondait en hurlant qu'ils avaient raison sur tous les points.

Sauf qu'ils avaient oublié un point capital : c'était un génie.

Oui, un vrai génie, du genre qui rafle les meilleures notes, les bourses et les félicitations. La perfection.

L'horreur.

L'université ne l'intéressait pas. Son père décréta que, s'il aimait les garçons, il n'avait qu'à aller vivre ailleurs. Sa mère plaida qu'il lui suffirait peut-être d'avoir un vrai travail, une nouvelle coupe de cheveux, ou de voyager un peu pour « se trouver ». Elle était plus gentille avec lui, pour ce que ça compte.

Il resta donc chez ses parents un moment. Que pouvait-il faire d'autre ? Il avait quitté le lycée à dix-sept ans, sans diplôme, sans emploi. Trop bizarre pour partir où que ce soit, trop mal dans sa peau pour demeurer où que ce soit, il passait son temps sur internet. En un an, il avait parcouru presque tous les recoins du web et du monde virtuel, c'est ainsi qu'il s'était « trouvé ».

Parce que sa mère ne sut le convaincre de rester et que son père ne tenait pas à le retenir, il fourra son PC dans un sac à dos avec deux pantalons et trois T-shirts blancs gribouillés au marqueur, et il partit.

Il alla où il voulait, sans s'éloigner beaucoup de Seattle. Il faisait la manche quand il avait faim, se fit quelques copains qui avaient des canapés pour l'accueillir quand il faisait trop froid, et proposa ses services et son talent pour créer des sites à des activistes de son genre – des gens qui avaient de grandes idées et un petit budget – parce qu'il se trouve que le génie avait bien moins de débouchés qu'il ne se l'était imaginé.

Il avait découvert les joies des petites annonces. Les sites d'annonces n'étaient pas une mine d'or, mais grâce à quelques lignes de code bien placées il pouvait manger trois repas par jour et se payer un manteau chaud dans une friperie si besoin. Une fois qu'il eut acquis une certaine stabilité et un réseau grandissant de collègues nerds, il se tourna vers la politique.

En moins de temps qu'il ne faut pour le dire, il avait créé un webzine sans prétention, développant les principes anarchistes qui lui semblaient justes. Il l'avait intitulé *All Free People*. Pour ce faire, il avait emprunté, parfois même volé, du matériel ; il avait emprunté, parfois même volé, la connexion internet ; et il publiait tout ce qu'il voulait.

Pour ses vingt ans, il ne répondit pas au mail de sa mère lui demandant un numéro de téléphone, mais se rendit chez un pote qui lui devait un service. Son nom était Spencer, mais tout le monde l'appelait Faucon – Jacob s'était donc dit qu'il le comprendrait. Avec une aiguille à coudre et un flacon d'encre, Faucon lui avait tatoué un petit oiseau noir sur le poignet gauche. À compter de ce jour-là, Jacob se fit appeler Corbeau.

Corbeau se bâtit un petit royaume sur Pioneer Square, dans le quartier historique de Seattle, où certains bâtiments étaient classés. Ce qui signifiait que personne n'avait le droit de les démolir, et que les bâtiments plus chanceux étaient transformés en immeubles de bureaux au lieu d'être rasés.

Le Starfish avait eu encore plus de chance. Ancien hôtel, il avait été réaménagé en appartements, puis en entrepôts, puis en lofts, puis en rien du tout. L'immeuble était assez grand pour héberger sous son toit une dizaine de squatters, mais assez petit pour éviter d'attirer l'attention des pouvoirs publics. Du moment que le coin restait calme, qu'il n'abritait aucune activité criminelle visible, on le laissait tranquille.

Mais être ignoré par les pouvoirs publics avait aussi ses inconvénients et l'immeuble était en piteux état. Les planchers penchaient vers la gauche et, dans leurs cadres branlants, la plupart des portes ne fermaient pas correctement. Les squatters se doutaient que le prochain tremblement de terre aurait raison du bâtiment – si une saleté de promoteur ne mettait pas la main dessus avant.

Corbeau les rassura. Il avait infiltré la base de données du cadastre : dorénavant les lieux appartenaient au Fonds Spécial Nidicom, une société qu'il avait créée de toutes pièces sur la base de documents falsifiés pêchés sur internet, signés par des avocats fictifs et validés grâce à un sceau de notaire récupéré dans une décharge. Il datait de 1987, mais ce n'était pas grave, au contraire, cela conférait une certaine authenticité à l'entreprise, qui ainsi ne semblait pas sortie de nulle part du jour au lendemain.

Parce que, finalement, le génie avait davantage de débouchés qu'il ne l'avait d'abord soupçonné.

Il avait bidouillé un petit serveur grâce à du matériel « braconné » ou recyclé, un peu dépassé, mais fonctionnel. L'obsolescence programmée ne résistait pas au doigté et à l'habileté de codage de Corbeau. Il proposait d'héberger sur son serveur ceux qui souhaitaient miner l'ordre établi – collègues anarchistes ou autres conspirationnistes, tous les potentiels Snowden et Assange du futur...

À vingt et un ans, il avait trouvé son rythme. Il avait également un casier judiciaire égrenant tous les petits délits pour lesquels jamais personne n'allait en prison, ainsi qu'une demi-douzaine de tatouages en plus. Il ne prenait rien qui risquait d'endommager son cerveau ou nuire au bon fonctionnement de ses petites cellules grises. Aucune substance mensongère.

Sauf le café. Il tolérait le café. Ça lui permettait de rester alerte, vif, et lui donnait une excuse pour patrouiller dans le quartier – surveiller le parcours de la police à vélo, veiller sur les SDF, écouter les touristes se disputer dans des dizaines de langues différentes, récupérer ce dont les gens ne voulaient plus. Il était connu chez Starbucks, où il ne payait jamais son grand café noir parce qu'il avait rendu service à la manager, une fois. Un cinglé l'avait coincée à l'arrêt de bus, mais Corbeau, qui était encore plus cinglé, l'avait fait fuir. Et voilà. Café gratuit à vie.

Il était justement en train de siroter un de ces cafés par un après-midi d'automne froid et humide, laissant la fumée monter du gobelet pour lui chatouiller les narines, lorsqu'il sentit un tiraillement. Minuscule. Presque imperceptible. Là où la lanière de son sac à dos s'enfonçait dans son épaule.

Le genre de tiraillement qu'on ne remarque que si on a déjà ouvert discrètement une pochette en espérant trouver une fortune avant que le propriétaire du sac ne s'en aperçoive.

Il fit mine de ne pas remarquer. Posa son café sur le rebord de fenêtre d'une confiserie, puis, sans tourner la tête, saisit la voleuse par le poignet.

– Lâchez-moi ! cria-t-elle.

Il la toisa. Elle devait faire un mètre soixante-huit. Agile, brune, pas plus de quinze ans. D'origine asiatique sans doute. Les cheveux bruns, plus ou moins au carré, mal coupés. Elle n'était pas squelettique, mais il faisait sans problème le tour de son poignet avec ses doigts. Elle avait l'air affamée. Et effrayée.

– Alors lâche mon appareil photo, rétorqua-t-il.

Elle le tenait par la dragonne dans sa main libre.

– Il ne vaut pas un clou. Ça ne te paiera même pas un sandwich.

Elle baissa les yeux vers le gros pavé de métal et de verre.

– Ouais, il est bon pour la casse.

– Alors pourquoi le voler ?

Elle renifla, tira sur son bras et se dégagea de son emprise. Il la lâcha, convaincu qu'elle n'allait pas filer.

Elle lui rendit l'appareil photo. Frictionna son poignet endolori.

– Tu collectionnes les vieilleries ?

– Tu as faim ? demanda-t-il d'un ton détaché en reprenant son café pour y tremper les lèvres, sans la lâcher des yeux, (Il avait les yeux verts, d'un vert pâle et vif comme un citron vert coupé en deux. Complètement fascinant, et il le savait.)

La fille soutint son regard.

– Ouais, reconnut-elle. J'ai faim.

– Pourquoi ne pas demander, tout simplement ?

– OK, t'as de la thune ?

– Ça ne se mange pas, répliqua-t-il. C'est quoi, ton nom ?

– Lequel ?

– Celui que tu préfères. Dis-moi ton nom et je te donne un truc à manger.

Elle plissa les yeux, méfiante. On lui avait déjà fait ce genre de proposition.

– C'est tout ce que tu veux ?

Il ne rit pas. Pas vraiment. Il savait comment ça fonctionnait, en ce bas monde, et c'était une honte qu'elle le sache aussi, malgré son jeune âge.

– Oui, c'est tout ce que je veux. Ne t'en fais pas, princesse. Tu n'es pas mon genre.

– Je dois mal le prendre ?

– Non, la rassura-t-il. C'est les garçons qui m'intéressent.

Elle n'était pas dans la rue depuis longtemps, visiblement. Ses vêtements étaient sales, mais encore en bon état. Ils avaient été mouillés et avaient séché sur elle, tout froissés. Sa veste était encore humide aux entournures.

Elle était en fuite, et sa fuite ne faisait que commencer.

Il pensa un instant à l'emmener chez lui pour lui faire raconter son histoire. Pioneer Square n'était pas un endroit pour les enfants, surtout pas une jolie fille comme ça qui ne connaissait rien à la rue. Il pouvait au moins lui fournir une couverture pour dormir et un repas, le temps de faire une petite recherche en ligne. Quelqu'un avait sûrement remarqué sa disparition, et c'était terrible. Ou bien personne ne l'avait remarquée, et c'était encore pire. Bref, il fallait qu'il sache.

Elle ouvrit la bouche pour dire quelque chose, lui envoyer une repartie bien sentie. Lui dire la vérité au lieu de jouer sur les mots. Mais non, elle détourna les yeux et, là, elle vit quelque chose dans son dos – quelque chose qui la glaça jusqu'à la moelle.

Elle murmura, si bas que, s'il avait été cinq centimètres plus loin, il n'aurait pas entendu.

– Ne me poursuis pas, je t'en prie. Sinon il va me remarquer.

Elle tourna les talons et fila.

Corbeau ne la poursuivit pas. Il ne se retourna pas immédiatement pour voir ce qui lui avait fait si peur. Non, il prit une nouvelle gorgée de café en glissant son regard vers la droite jusqu'à la limite de son champ de vision.

Il y avait des touristes, des guides en costume, un balayeur de rue au loin sur la 1re Avenue, des pigeons qui barbotaient dans des flaques sales, des voitures qui se disputaient une place de parking, des passants chargés de sacs de courses. Rien d'effrayant.

Sauf un homme, planté là, qui scrutait les environs avec moins de discrétion que Corbeau. La quarantaine, aucun signe distinctif, si banal que ç'aurait fort bien pu être un flic en civil. Il avait une liasse de documents à la main – des pages protégées par des pochettes en plastique.

Quand il cessa enfin d'observer les lieux, il prit l'une des feuilles et tira une agrafeuse murale de sa poche. Il accrocha l'affichette au poteau le plus proche, jeta un dernier coup d'œil aux alentours avant de poursuivre sa route.

Lorsqu'il fut parti pour de bon, Corbeau s'approcha l'air de rien pour la lire.

DISPARUE : ANNE COOPER

EN FUGUE DEPUIS LE 28 SEPTEMBRE
RÉCOMPENSE

LA DERNIÈRE FOIS QU'ELLE A ÉTÉ VUE, ELLE PORTAIT UN JEAN ET UN SWEAT GRIS, AVEC SANS DOUTE UNE VESTE EN VELOURS NOIR. QUATORZE ANS. LONGS CHEVEUX BRUNS. MÉTISSE ASIATIQUE. ANNE EST SANS DOUTE AGITÉE ET DÉSORIENTÉE, CAR ELLE A BESOIN DE SON TRAITEMENT. SI VOUS LA VOYEZ, APPELEZ LE (206) 55-2080

– Comme s'il avait perdu un chien, marmonna Corbeau dans sa barbe.

Il n'y avait pas de photo – étrange. Et avec ce seul texte pour référence il n'aurait pu jurer qu'il s'agissait de la fille qui venait de lui faire les poches. Mais, à part les cheveux longs, la description correspondait. Sauf qu'elle n'était pas agitée ni désorientée. Elle était terrifiée.

Il finit son café et jeta le gobelet dans la poubelle la plus proche.

La fille avait disparu, elle s'était volatilisée comme un fantôme. Mais c'était le royaume de Corbeau, et il n'y avait pas tant d'endroits que ça pour se cacher quand on ne connaissait pas les lieux. À la tombée du jour, il en avait presque fait le tour lorsqu'il la repéra, recroquevillée sur un escalier de secours, au troisième étage, une passerelle où ils n'auraient pas pu tenir à deux.

En la voyant perchée là-haut, blottie derrière un abri de carton, il sut qu'elle était maligne. Tout le monde cherche vers le bas, dans les trous, les tiroirs, les malles, les sous-sols. C'est pour ça que les meilleures cachettes sont en haut, au vu et au su de tous.

Personne ne lève jamais la tête, à part les gens qui ont souvent dû se cacher.

VINGT

– On est loin de la gare ? demanda Trick en levant les yeux vers le ciel comme si le soleil, s'il avait été visible, avait pu lui indiquer quelle direction prendre.

– À vol d'oiseau, comme le corbeau ?

May pouffa à sa propre blague.

– D'ici ? Je ne sais pas... Ça descend, mais on en a sans doute pour une ou deux heures de marche.

– Mais sans courir, cette fois.

– On ferait mieux de prendre le bus. Celui qui longe Olive Street.

– Tu as de l'argent ?

– Oui, assez pour le ticket.

– Parfait.

Il hocha la tête, le visage fermé, rajusta la bandoulière de sa sacoche et la passa dans son dos.

– Alors allons-y !

Ils ne coururent pas mais marchèrent d'un pas vif. Deux gamins poursuivis par un 4 × 4 étaient passés aux infos. Deux gamins correspondant à leur description. N'importe qui risquait de les reconnaître, non ?

May se força à rester calme, progressant à longues foulées, un pied après l'autre, longeant l'enfilade de vieilles maisons, d'immeubles sinistres, de carrés de pelouse, de bureaux et de magasins, ponctués ici et là par un Starbucks.

Un bus approchait, il ralentit pour marquer l'arrêt et, pour une fois, ils n'eurent pas à courir pour le prendre. Ils montèrent à bord d'un bond et s'assirent dans le fond, sur les sièges du milieu. May regrettait de ne pas avoir une capuche ou un chapeau. Elle dut se contenter des vieilles lunettes de soleil qu'elle tira des profondeurs de son sac. Trick, lui, mit ses écouteurs et s'absorba dans la contemplation de son téléphone. Sauf que les écouteurs n'étaient pas branchés. May prit également son portable et fit mine de consulter son compte Twitter. Un prétexte pour garder la tête baissée, cachée derrière sa mèche.

Le simple fait d'imaginer devoir parler à la police lui donnait des suées, alors que ses mains crispées étaient gelées. Que pourrait-elle leur dire ? Rien. Il fallait tout nier en bloc. Jurer qu'elle n'avait aucune idée de ce que voulait le dingue du 4 × 4, qu'elle ne voyait absolument pas pourquoi il voulait les changer en pizza routière. Il s'en était sûrement pris à eux au hasard.

Non. Il fallait qu'elle invente une histoire. Sauf qu'elle ne savait pas mentir. Trick s'en sortirait peut-être mieux. Elle lui jeta un regard en coulisse, à travers un rideau de cheveux emmêlés. Il avait les yeux fermés, les épaules voûtées. Il s'était tellement avachi dans son siège qu'elle semblait plus grande que lui. Entre l'humidité et leur marathon, il était aussi ébouriffé qu'elle.

Ça le rajeunissait. Mais même somnolent, écroulé dans son fauteuil, il avait l'air déterminé.

May espérait qu'elle paraissait aussi menaçante. Elle croisa les bras et plissa les yeux, jusqu'à ce qu'ils ne soient plus qu'une petite fente scrutant le monde avec férocité.

« C'est l'apparence qui compte », se dit-elle.

Mais finalement, à bien y réfléchir, elle risquait surtout de s'épuiser... car qui sait combien de temps elle devrait faire semblant ? Elle pouvait au moins tenir un jour ou deux. Elle pouvait tenir le temps de retrouver Libby et, ensuite, peu importait.

Trois ans. Ça faisait trois ans qu'elle était morte.

Soi-disant.

Pour May, c'était trois ans à tourner en rond, à faire la navette entre ses parents, à tenter de se faire de nouveaux amis... en vain. Trois ans avec un casier rien que pour elle et à le regretter. Mais c'était terminé parce que Libby était en vie et que tout allait s'arranger. Dorénavant, tout irait bien.

Rien n'aurait pu convaincre May du contraire. Elle avait pourtant conscience que, en trois ans, les gens changent, même dans les meilleures conditions. Or, si May avait passé trois années rasoir, inintéressantes et insipides, pour Libby, ç'avait été trois années d'horreur. Mais peu importait. Elle avait survécu, comme dans le rêve de May avec la voiture dans l'eau et Libby qui remontait à la surface. Qui s'échappait, qui survivait. Pour être capturée, puis s'échapper à nouveau. Libby était restée Libby, où qu'elle soit, quoi qu'elle ait vécu. Elle avait trouvé des alliés comme Corbeau et avait réussi à garder un train d'avance sur Ken Mullins pendant tout ce temps. Forcément. Parce qu'elle était incroyable, cette fille, comme elle l'avait toujours été.

Ce n'était pas trois ans, ni même trente qui pourraient changer ça.

Le bus avait tourné à gauche au marché et longé le bord de l'eau sur quelques pâtés de maisons, puis, après avoir grimpé une côte particulièrement raide, il s'immobilisa – le terminus, avant de recommencer son trajet. May et Trick descendirent sans un mot par la porte de derrière, sautèrent sur le trottoir escarpé et se dirigèrent vers Pioneer Square – et la gare qui se dressait entre la place et la rive.

May balaya les environs du regard, espérant repérer la trace de Corbeau. Il pouvait être n'importe où. Derrière n'importe laquelle de ces fenêtres. N'importe laquelle de ces portes.

Et Libby pouvait y être aussi.

Trick ouvrait l'œil également, mais sans lunettes de soleil ce n'était pas très discret. Il avait l'air nerveux, stressé, comme quelqu'un qui a fait ou va faire un mauvais coup. May lui donna un petit coup de coude.

– Détends-toi, mec.

– Je *suis* détendu.

– Pas trop, non, répliqua-t-elle.

Elle gardait la tête haute, comme si elle regardait droit devant elle.

– Hé, attention aux touristes.

Trick s'écarta pour laisser passer un gros troupeau d'étrangers qui se pressaient pour la visite du Seattle souterrain[1]. En descendant du trottoir, il effraya un pigeon et marcha dans un truc bizarre, mais ne s'arrêta pas. Ils se firent klaxonner par un conducteur qui ignorait visiblement que les piétons avaient la priorité. Trick lui fit un doigt d'honneur tout en remarquant :

– On n'est pas très doués pour se fondre dans le paysage.

---

1. Suite au gigantesque incendie qui ravagea Seattle en 1889, décision fut prise de reconstruire la ville en la rehaussant d'un niveau, ce qui permit de régler le problème de l'évacuation des eaux usées et d'éviter aux rues d'être submergées lors de grandes marées. Certaines façades, magasins et bâtiments d'alors sont encore visibles en sous-sol.

May lui prit la main pour le faire remonter sur le trottoir, et l'entraîner vers Occidental Square. Encore un pâté de maisons, un croisement, et les rues se rejoignaient en une immense intersection en forme de V.

Ils étaient arrivés à la gare de King Street.

Un imposant bâtiment de brique et de pierre du siècle dernier, à la majestueuse architecture classique, avec d'immenses fenêtres et une tour d'horloge qui chatouillait les nuages. Sur le parvis, les voitures rivalisaient pour passer au feu vert ou tourner au carrefour, polluant la scène par une agitation effrénée et un vacarme assourdissant.

– Tu le vois ? demanda May.

– Non. Et je te rappelle que c'est toi qui as des lunettes d'espionne.

– Ça ne m'aide pas beaucoup, répondit-elle en les rajustant sur son nez. Mais dans son texto il disait « à la gare ». On n'a qu'à entrer.

Trick soupira.

– Ouais, pourquoi pas. Au pire, c'est un piège et Ken Mullins nous attend pour nous assassiner.

– Dans la gare ? Devant tout le monde ? J'en doute, rétorqua-t-elle, sans cependant en douter autant qu'elle l'aurait voulu. S'il voulait nous faire du mal, il nous attirerait dans un petit recoin sombre, non ?

– C'est ça. Comme à Fremont.

Ils longèrent le square, traversèrent la rue, descendirent un nombre incalculable de marches en béton pour pénétrer dans la somptueuse gare avec son sol ciré et ses luminaires en cuivre qui ne faisaient pas vieillot mais stylé. Même les bancs en bois étincelaient. Les plafonds étaient hauts et couverts de carrelage ancien. Le personnel arborait un uniforme impeccable.

La gare n'était pas spécialement bondée. Il devait y avoir une trentaine de personnes qui attendaient le prochain train et seulement une demi-douzaine d'employés aux guichets et à la consigne. Finalement, May trouvait la foule qui se pressait dehors plus rassurante.

Avec Trick, ils arpentaient les lieux d'un pas qu'ils auraient voulu nonchalant, mais qui trahissait leur anxiété. Le corbeau comprendrait sûrement, pensa May, il allait les prendre sous son aile – sans mauvais jeu de mots – et les conduire jusqu'à Libby.

D'abord, elle eut un espoir... puis une conviction. Elle ôta ses lunettes de soleil, afin de vérifier.

– C'est lui, chuchota-t-elle presque pour elle-même.

Elle désigna du menton un coin un peu en retrait où de grands panneaux expliquaient la rénovation de la gare. Il y avait des photos « avant/après », des schémas, des cartes, toutes sortes de documents. Et un grand type, tout maigre, un peu plus vieux qu'elle.

Il était encore tout en noir, avec un T-shirt à manches longues moulant et un jean serré, constellé de trous qui laissaient voir en dessous sa peau d'un blanc spectral. Il portait des lunettes de soleil, comme May, sauf qu'il s'agissait d'une paire de style « aviateur » à verres fumés – pas d'un truc de supermarché en soldes.

Il ne leur adressa aucun signe. Il se contenta de leur faire face, fixant sur eux ses yeux d'insecte, les aimantant à distance, comme à l'aide d'un rayon tracteur. May tira Trick par le bras. Il avait les yeux écarquillés et les genoux qui tremblaient. Non, il ne pouvait pas avoir peur à ce point, quand même ? Que craignait-il ? Ce n'était pas le type du 4 × 4 ; c'était un punk qui connaissait toute l'histoire de Libby et qui jusque-là n'avait fait que les aider. Ou alors il n'avait pas peur, il était juste stressé. Ça, oui, May stressait, elle aussi.

Lorsqu'elle fut assez près, lorsqu'elle l'entendit presque tapoter nerveusement du pied, elle chuchota son nom :

– Corbeau ?

Il acquiesça. Imperceptiblement. Un léger hochement de tête. Trick restait planté là. Il tenait debout parce qu'il se cramponnait à May, ou tout du moins c'était l'impression qu'elle avait.

– C'est vous, fit-elle. Je sais que c'est vous.

– Y a intérêt pour vous. Parce que vous pourriez croiser pire qu'un oiseau dans cette gare.

– Mister Bones ? risqua-t-elle.

Était-ce un code ? Peut-être. Tout ce qu'ils avaient en commun, c'était cette histoire, qui contenait tous les symboles, les indices, les mots de passe.

– Il n'est jamais très loin. Et il sait que vous n'avez que deux options : rester sur place en attendant qu'il vous attrape ou fuir.

Trick retrouva enfin sa voix.

– Avec toi, j'imagine ?

– Il ne m'a pas encore eu, et il me pourchasse depuis bien plus longtemps que vous deux. Et puis…

Il sourit en regardant May, pencha légèrement la tête, et prononça les mots que, plus que tout au monde, elle voulait entendre :

– … la princesse veut vous voir.

VINGT-ET-UN

May avait la gorge si serrée qu'elle pouvait à peine respirer.

– Alors c'est vrai ! Tout est vrai. Elle est vraiment en vie.

– Elle n'est pas loin.

Corbeau leva les yeux, scrutant les environs. La gare se remplissait ; les voyageurs se pressaient de plus en plus nombreux à l'intérieur.

– Alors emmenez-moi la voir.

Elle aurait voulu que sa demande ait l'air d'un ordre, mais son ton était plus proche de la supplication.

– Par ici.

Il murmura les instructions à voix basse, à peine plus haut qu'un soupir, puis tourna les talons. Il marchait comme vole un oiseau, mouvant ses jambes telles des ailes, ses pieds effleurant à peine le sol ciré. May et Trick avaient du mal à le suivre. Elle se disait que, s'ils le perdaient de vue, il ne se retournerait pas pour les attendre ; s'ils ne tenaient pas le rythme, alors ils n'étaient pas dignes de l'accompagner.

Ils slalomèrent entre les piliers de la gare, se faufilant dans un dédale de couloirs, ignorant les panneaux *Réservé aux employés*, car de toute façon ils ne croisèrent personne et personne ne tenta de les arrêter.

– Par là, reprit Corbeau sans se retourner.

Il ouvrit une porte censée être une issue de secours et qui menaçait quiconque oserait la pousser de déclencher une alarme.

– Je l'ai désactivée depuis des mois, dit-il sans les regarder avant de s'engouffrer dans un escalier.

Les lieux n'étaient pas du tout dans le même style que le reste de la gare. C'était froid, humide, tout en béton, avec une rampe en métal et des marches maculées de taches. Il n'y avait aucune fenêtre et l'éclairage laissait à désirer. Sur chaque palier, une misérable ampoule jaunâtre pendouillait d'une applique mal fixée au mur.

– C'est quoi, cet endroit ? demanda Trick.

– Un escalier de service. Enfin, il était utilisé avant la rénovation, expliqua Corbeau. Depuis, ils ont aménagé un passage plus court...

Il se courba pour éviter des fils électriques qui pendaient du plafond.

– ... et ils ont laissé beaucoup d'espaces vides à l'abandon, comme ça.

– Alors... vous venez souvent ici ? le questionna May.

On aurait presque dit qu'elle plaisantait.

– Assez souvent. Ça mène direct au métro.

Là, il avait piqué la curiosité de Trick.

– On va dans le métro ? Et si on croise des touristes ?

– Aucun risque, pas là où on va.

Ils arrivèrent enfin au pied de l'escalier, May supposa qu'ils devaient être au quatrième ou cinquième sous-sol. Sous la dernière volée de marches était entreposé un tas de bazar : des tables pliantes, des ustensiles de ménage, des chaises, des échelles cassées et d'autres trucs qu'elle ne put distinguer dans la pénombre.

Corbeau s'approcha d'un bureau couché sur le côté. Lorsqu'il le tira, il pivota aisément, sans le crissement qu'on aurait pu imaginer, révélant un autre escalier qui s'enfonçait dans l'obscurité.

– Il est monté sur roulettes, expliqua-t-il en désignant les petites roues qu'elle n'avait pas remarquées. Venez, mais regardez où vous mettez les pieds. Il n'y a pas de touristes, par contre, si près de l'eau, ça grouille de rats.

– Punaise, souffla Trick.

Vu son ton angoissé, May se demanda s'il ne souffrait pas d'une incontrôlable phobie des rongeurs qu'il aurait oublié de mentionner.

– Mais... ils ont sûrement plus peur de nous que nous d'eux, non ?

– Pas ces rats-là, Hat-Trick.

May fronça les sourcils.

– Comment tu l'as appelé ?

Mais leur guide était déjà passé derrière le bureau et agitait sa main spectrale pour leur faire signe de le suivre. Dans l'obscurité, sous l'escalier, elle apercevait juste le mouvement de ses longs doigts fins.

Du coup, elle se tourna vers Trick.

– Comment il t'a appelé ?

– Par mon nom, j'imagine, murmura-t-il. C'est toujours les dames d'abord ou tu veux bousculer les convenances ?

– J'y vais, j'y vais.

Elle se baissa et disparut derrière le bureau, s'enfonçant dans les entrailles sombres de la ville.

Corbeau l'attendait là, dans l'espace laissé vide par les aménagements urbains d'il y a plus d'un siècle. À la manière des terriers de lapins, ces tunnels reliaient les sous-sols des quartiers victoriens, magasins, boutiques, caves. Ces passages souterrains n'avaient cependant pas été abandonnés une fois que Seattle avait été tiré des marécages. May ne connaissait que la partie proche de Pioneer Square, qu'on montrait lors des visites du Seattle souterrain. C'était les tunnels les plus sûrs, éclairés à l'électricité, où les guides armés de pointeurs lasers racontaient leurs petites anecdotes.

Là, c'était complètement différent.

Leur guide se tenait légèrement voûté pour éviter de se cogner la tête contre les vieux tuyaux qui couraient le long du plafond. Il avait ôté ses lunettes de soleil. Le temps que ses yeux s'accoutument à l'obscurité, May ne distingua que son visage et ses mains. Il était fantomatique, surnaturel. Ni souriant ni renfrogné, il attendait Trick, parfaitement impassible.

Celui-ci rassembla son courage et se lança, cherchant où poser les pieds. Il rejoignit May dans le recoin souterrain et la trappe sous le bureau se referma derrière lui.

Corbeau fouilla dans une niche du mur et en tira une torche. Lorsqu'il l'alluma, la lumière les aveugla un instant. Puis May vit exactement ce qu'elle s'attendait à voir : des toiles d'araignées dans tous les coins, des insectes qui grouillaient, des briques qui s'effritaient... Quant au sol, c'était surtout de la terre battue, avec quelques pavés ici et là. Tout était trempé et des flaques d'eau stagnante brillaient comme des miroirs dans le noir.

Trick frissonna.

– Répugnant.

Corbeau n'était pas de son avis.

– Non, abandonné, c'est tout. Cet endroit a beaucoup d'avantages.

Il leur fit signe de le suivre. De toute façon, ils n'avaient pas trop le choix. Corbeau s'éloigna avec la lampe et ils se retrouvèrent plongés dans l'obscurité la plus profonde qu'ils aient jamais vue.

May jacassait nerveusement :

– Qu'est-ce qui vous plaît tant ici ? Parce que, là, à part une bonne raison pour se faire un rappel de tétanos, je ne vois pas trop...

Il se retourna vers elle. La torche éclairait son visage d'une étrange manière, soulignant sa joue et son nez d'un fin trait blanc.

– J'ai pourtant entendu dire que tu avais de l'imagination.

– Bah... la journée a été longue, répondit-elle platement.

– Pour tout le monde, enchaîna-t-il avant de reprendre sa progression, contournant les plus grandes flaques et évitant les coins où le plafond était trop bas. Mais c'est un magnifique terrain d'aventure, non ?

– Le genre d'aventure où le héros meurt à la fin, marmonna Trick.

Il mit le pied à un endroit où le sol était particulièrement boueux et grimaça.

– J'espère bien que non, répliqua Corbeau sans le regarder. Et puis, dans les comics, la mort est rarement irrémédiable.

– Sauf qu'on n'est pas des super-héros, objecta May.

– Parle pour toi, fit Corbeau.

Ils arrivèrent devant une porte vermoulue qui aurait dû se trouver sous un porche quelque part et pas à des mètres sous terre, enfoncée dans la boue.

– Je suis prêt à vivre éternellement, et Princess X aussi.

May sentit à nouveau sa gorge se serrer et son cœur s'emballer. Il fallait qu'elle lui pose la question, sinon elle n'était pas sûre de pouvoir continuer à avancer dans cet endroit sinistre.

– Pour Princess X... vous savez ? Vous savez que c'est Libby et moi qui l'avons inventée ? C'est elle qui dessine le personnage depuis le début.

– Depuis le début, répéta-t-il.

Il saisit la poignée de la porte et tira. Un nouveau passage secret s'ouvrit. Il faisait plus clair de l'autre côté, mais guère.

May lui prit le bras.

– Attendez. Dites-le-moi, s'il vous plaît. Dites-le-moi tout haut. J'ai besoin de l'entendre de la bouche de quelqu'un d'autre. S'il vous plaît, dites-moi qu'elle est en vie.

Il s'arrêta, puis hocha la tête en se dégageant délicatement de son étreinte.

– Bien sûr qu'elle est en vie. Une véritable héroïne ne meurt jamais.

– Ce n'est pas ce que je voulais dire et vous le savez très bien.

– On est presque arrivés, plaida-t-il.

Ce n'était pas ce dont elle avait besoin, mais, dépitée, elle le suivit. Et Trick, lui, la suivit. Tous les trois, ils se retrouvèrent dans un endroit plus propre, une sorte de sous-sol non aménagé.

– On est presque arrivés où ? le questionna Trick.

– À la maison. Venez, c'est le prochain bâtiment. Elle vous attend. Bien que vous n'ayez pas encore trouvé toutes les clés.

– Mais on va les trouver, affirma May. En plus, il ne nous restait plus que la dernière – la fille grise. C'est Libby, non ? Alors voilà. J'ai trouvé.

Le ton de sa voix suggéra qu'il devait sourire lorsqu'il répondit :

– Bien vu.

Il appuya sur un petit interrupteur beige, déclenchant un concert de bourdonnements, légers, puis de plus en plus puissants. Les néons s'allumèrent et révélèrent une sorte de cave, remplie du sol au plafond de caisses d'un côté et de vieilles machines industrielles de l'autre. Des barils, des cartons, le squelette rouillé d'un vélo gisaient çà et là. Un étroit sentier serpentait à travers le bazar, marqué de différentes empreintes – de bottes, et de ce qui ressemblait davantage à des baskets.

Comme promis, il leur fit traverser un dernier sous-sol et grimper un dernier escalier. Celui-ci était en bois, et assez ancien. Les marches grinçaient, crissaient, couinaient sous leurs pas.

– Elles ont toutes l'air cassées, remarqua Trick.

– Alors fais attention.

– Ça craint, mec. Sors-nous vite de là !

– C'est ce que je fais, Hat-Trick.

Corbeau lui lança un regard furieux.

– Pour un gamin qui a le cran d'enfreindre autant de lois que toi, je t'imaginais un peu plus...

En haut des escaliers, une dernière porte. Il tira une clé de sa poche pour l'ouvrir.

– ... intrépide.

May lança également un regard à Trick, mais le sien était interrogateur. Sans lui laisser le temps de poser des questions, il se justifia :

– Tu savais déjà que j'avais... commis quelques infractions mineures pour identifier Ken Mullins.

– Je n'ai pas l'impression qu'il parlait de ça, rétorqua-t-elle. Et puis pourquoi il t'appelle Hat-Trick ?

Corbeau n'intervint pas. Mais Trick n'eut pas à répondre, car leur guide ouvrit la porte en grand et leur fit signe de le rejoindre en annonçant :

– Bienvenue dans notre maison hantée !

Trick s'exclama « Waouh ! » d'une manière délibérément sarcastique tandis que May contemplait la pièce, les yeux écarquillés. La lumière du jour entrait à flots par les immenses fenêtres, fêlées ou cassées pour la plupart. Mais il n'y avait pas grand-chose à voir, à part des emballages de fast food et de vieilles palettes en bois au milieu d'un troupeau de moutons de poussière. Personne ne vivait là. C'était juste un lieu de passage.

– C'est... c'est joli, souffla-t-elle néanmoins.

– Merci, répondit Corbeau. Je m'y plais assez.

– Une vraie décharge, commenta Trick.

May voulut lui donner un coup de pied dans le tibia, mais il l'esquiva.

– La ferme, mec. C'est cool.

– Vous êtes au Starfish. C'était un hôtel autrefois, expliqua Corbeau. Puis ensuite...

Il agita la main dans le vague.

– ... ça a été un certain nombre de choses. Et maintenant il abrite la rédaction de *All Free People* et d'un certain webcomic intitulé *Princess X*.

– Tu fais tout d'ici ? s'étonna Trick, avec un scepticisme non dissimulé.

– Pas de cet étage, crétin. C'est juste une couverture. Pour que les gens s'imaginent qu'il s'agit d'un bâtiment abandonné, désert et sans aucun intérêt.

– Eh bien, c'est réussi. Sans aucun intérêt.

Derrière eux, des pas légers résonnèrent, si légers que May n'était même pas sûre d'avoir entendu quelque chose. Elle avait peut-être simplement pressenti... grâce à son sixième sens aiguisé par l'aventure, le danger, le mystère...

Le compte Instagram.

Ses cheveux se hérissèrent sur sa nuque. Elle pivota juste à temps pour voir la princesse apparaître.

– Bien sûr que c'est sans intérêt. C'est pour ça qu'on peut s'y cacher au vu et au su de tout le monde.

VINGT-DEUX

May se figea.

Une fille se tenait au bas d'un autre escalier. Elle était mince, pâle, ses cheveux en bataille étaient coupés plus court d'un côté. Elle avait fait une décoloration maison qui devait viser le blond, mais donnait une sorte d'orange. Ses racines étaient brunes, aussi noires que ses mitaines mangées aux mites et son sweat à capuche au logo à demi effacé. Ses bottines avaient dû être récupérées dans une friperie, peut-être même avaient-elles connu l'armée, en tout cas elles avaient beaucoup couru et grimpé.

Son sourire en coin était hésitant. Et familier.

– Je savais que tu viendrais en voyant la page, affirma Libby. Je savais que tu me trouverais.

Sa voix était plus grave que dans le souvenir de May, mais elle était posée et forte. Plus forte que celle de May, qui parvint à peine à articuler son prénom avant de se jeter à son cou, pour la serrer fort, très fort – comme jamais elle n'avait serré quelqu'un de toute sa vie. Pas même la première fois qu'elle avait fait un tour de Montagnes Russes, cramponnée à son père comme une moule à son rocher. Pas même lorsqu'elle était tombée du quai, alors qu'elle ne savait pas nager et qu'un pêcheur avait dû lui jeter une bouée.

Elle serra Libby encore plus fort parce que, parfois, de temps à autre, ses yeux la trompaient. Mais ses bras, eux, ne lui avaient encore jamais menti. Libby était bien là – chaude, mince, pas beaucoup plus grande que May, maintenant. Presque exactement de la même taille, c'était dingue, hein ? Dans la tête de May, Libby était toujours incroyablement grande, incroyablement belle, incroyablement jeune… immortelle, même.

Pourtant elle était là, devant elle, de la même taille, du même âge qu'elle, et elle lui rendait son étreinte. Elle la serra aussi fort, incroyablement fort.

– Je ne savais pas quoi faire. Je n'étais pas sûre, murmura Libby, blottie contre son épaule. J'avais tellement envie de te voir, mais j'avais peur de te mettre en danger.

– C'est toi, souffla finalement May sans toutefois la lâcher.

Elle inspira son odeur de cheveux décolorés, de sueur, de café bouilli et d'un léger fond de cigarettes.

– C'est moi, confirma Libby, hochant la tête, en enfouissant son visage dans les cheveux de May.

– Je suis désolée, murmura son amie.

– De quoi ? s'étonna Libby, d'une voix aussi étouffée que celle de May.

– De lire si lentement. D'avoir mis si longtemps.

– Nan ! protesta-t-elle en s'écartant enfin.

Elle tenait May à bout de bras.

– Tu t'en es super bien sortie une fois que tu as eu mis le nez dans le compte Instagram. Oh, là, là ! Mais regardez-moi ça ! s'exclama-t-elle.

Son sourire n'était plus en biais mais large et franc, joyeux et non plus inquiet.

– Comme tu es devenue grande !

– Et toi, tu es devenue petite ! Et blonde !

– Ouais, fit-elle en secouant la tête, mal à l'aise. Ce n'est pas moi qui ai eu l'idée. C'est juste un déguisement.

Elle lâcha May, son sourire vacillant légèrement, mais toujours vaillant.

Corbeau intervint alors :

– Je n'arrête pas de lui répéter de les raser. Chauve, c'est encore mieux pour se déguiser.

– Mais pour se faire remarquer aussi, contra Libby, surtout quand on est une fille.

– Une coupe à la tondeuse alors ? Sympa et virile, suggéra May, taquine, en passant la main dans les cheveux de son amie. De toute façon, ça ne change rien. Tu es toujours aussi belle.

– Oh, arrête, protesta-t-elle en rougissant presque. C'est toi la beauté ! Tu es devenue superbe, May.

Celle-ci frissonna en entendant son nom et ne put se retenir. Elle serra à nouveau Libby contre son cœur.

– Non, arrête ! C'est toi, la princesse, Lib ! Pour toujours et à jamais. Tu m'as tellement manqué !

– Toi aussi.

Elle hésita, puis lui donna une tape affectueuse sur la tête.

– Tu n'as pas idée. Quand j'ai commencé à faire la BD, bon sang... J'aurais tellement voulu...

Trick a toussoté.

– Désolé d'interrompre ces touchantes retrouvailles, les filles, mais on a toujours un fou dangereux à nos trousses.

Libby lâcha May pour toiser Trick de la tête aux pieds.

– Alors c'est toi, Hat-Trick ? Je t'imaginais un peu... plus grand.

– On me le dit souvent, répondit-il avec un agacement non dissimulé.

– Hat-Trick... encore... Pourquoi tout le monde l'appelle comme ça ? s'étonna May. Pour moi, c'est juste Trick.

Avant que l'intéressé ne puisse esquiver la question, Corbeau intervint :

– Sur son acte de naissance, c'est Patrick ; dans la vraie vie, c'est Trick ; et, sur internet, c'est Hat-Trick.

– Vous... vous êtes en relation sur internet ? devina-t-elle.

– C'est là qu'on s'est rencontrés, répondit Trick d'un ton sec. Virtuellement parlant.

Corbeau fit mine de soulever un chapeau imaginaire[1] et ajouta :

– Le gamin cache bien son jeu. Tu as encore beaucoup à apprendre sur lui.

– Que du positif, j'espère, fit-elle avec une certaine anxiété.

– Pas que du bon, mais il y a pire. Au début, j'ai paniqué quand il m'a posé des questions sur la récompense.

– Quelle récompense ? s'étonna May.

Puis elle se souvint et reprit :

– Ah oui, il m'en a parlé. Trop glauque.

Trick leva les mains en l'air.

– Je me suis souvenu de l'avoir vue, c'est tout. Du coup, j'ai essayé de la retrouver sur 4chan et sur le darknet. Je menais l'enquête, c'est tout.

May lui lança néanmoins un regard noir.

– Tu en es bien sûr ?

– À cent pour cent. Je n'ai même jamais été en contact avec Mullins. Seulement avec lui.

Il désigna Corbeau du pouce.

– Et à la fin tout s'est arrangé, non ?

---

1. Référence au surnom « Hat-Trick », qui désigne un tour de magie où l'on fait sortir quelque chose de son chapeau.

Cela aurait pu se prolonger, May avait d'autres questions à lui poser, mais Libby coupa court à l'interrogatoire.

– Vous réglerez ça plus tard, d'accord ? Maintenant, Jack, tu n'as qu'à emmener Trick au deuxième étage pour lui montrer ton installation. Comme ça, vous discuterez en langage binaire

Ils la regardèrent comme si elle avait perdu la tête. Mais elle les supplia :

– Allez, s'il vous plaît ! Vous pouvez nous laisser cinq minutes, les gars ?

Corbeau poussa un profond soupir et dévisagea Trick. Visiblement, il avait plus envie de le jeter au fond d'un puits que de l'emmener dans son QG. Et Trick n'avait guère l'air plus enthousiaste.

– Je ne toucherai à rien, promis.

– Bon, d'accord.

Corbeau pointa l'index sur Libby.

– Mais c'est toi qui paies le prochain café.

Il secoua la tête, puis se tourna vers Trick.

– Par ici !

Lorsqu'ils furent partis, l'équipe Libby-May se retrouva réunie.

– Je te proposerais bien un chocolat chaud, fit Libby, mais je crois qu'on n'en a plus. Et de toute façon il n'est pas aussi bon qu'au Black Tazza.

– Ça a été démoli, tu es au courant ?

– C'est ce que j'ai entendu dire, ouais. On a eu chaud. Vous avez suivi la piste et découvert le masque juste avant qu'ils rasent le bâtiment. On aurait eu beaucoup de mal à remettre en place autre chose.

– Oui, le timing était parfait, se réjouit May.

– C'est toi qui as un timing parfait. Moi je veux toujours aller plus vite que la musique.

– Oh, Trick ne dirait pas ça. Il me reprochait sans arrêt de tirer des conclusions hâtives. Mais c'est quand même ce qui m'a menée jusqu'ici !

– Oh que oui ! Au fait…

Libby fit un signe de tête.

– On a un petit frigo là-bas. Tu veux un Coca ?

– Oui !

May n'avait pas soif, elle n'avait besoin de rien, mais elle ne voulait pas refuser.

Dans la pièce voisine, il y avait une sorte de kitchenette, avec un frigo et des placards pleins de provisions. Il y avait surtout de la nourriture industrielle, des gâteaux ou des chips, mais également des trucs végétariens, genre chou kale séché ou feuilletés aux légumes.

– Prends ce que tu veux, l'encouragea Libby en sortant les Cocas.

Puis elle désigna un immense canapé minable le long du mur.

– Et surtout n'aie pas peur du canapé mangeur d'homme, il est vieux mais propre. Et super confortable.

– Alors pourquoi lui avoir donné ce surnom ?

– Parce que, si tu t'installes dessus, tu n'auras plus jamais envie de te relever.

Elles se laissèrent tomber côte à côte, assises en tailleur, si proches que leurs genoux se touchaient. May entendit des pas aller et venir à l'étage du dessus et le murmure étouffé de Corbeau et Trick qui tentaient tant bien que mal d'avoir une conversation entre nerds.

– Il faut que je te pose une question, fit soudain Libby, comme si elle venait juste de s'en souvenir. Tu as laissé la tablette ? Et tout ce qu'il y avait dessus ? Jack a dit que vous la laisseriez avec l'urne de Christina.

– Oui, acquiesça-t-elle. On l'a cachée là, comme il nous l'a demandé, et on a remis la dalle de pierre en place. On envoie un texto à mon père ou on prévient la police ?

– Oui, on pourrait les appeler et laisser un message anonyme...

– Mais pourquoi... pourquoi tu n'as pas simplement montré la tablette ou transféré les infos à la police ? Pourquoi tu ne m'as pas contactée plus tôt, par mail ou par téléphone ? Je serais venue à ton secours, j'aurais trouvé un moyen, je te jure !

Libby semblait au bord des larmes. Elle s'essuya le nez sur son avant-bras.

– J'ai voulu prévenir la police, c'est la première chose que j'ai faite quand je me suis enfuie. Mais Tu-sais-qui avait déjà déclaré ma disparition, alors ils l'ont appelé. Il leur a dit que j'étais dangereuse, schizophrène, que j'avais besoin de mes médicaments... qu'il ne fallait pas croire un mot de ce que je racontais.

– Comme dans la BD ! Je craignais bien que ce soit une histoire de ce genre.

– J'étais tellement paniquée, je n'avais même pas pensé qu'il avait pu appeler la police avant que j'aille les trouver. Mais voilà, il l'avait fait... et ils l'ont cru. Ils ont essayé de me garder dans leurs locaux jusqu'à ce qu'il vienne me cueillir, ce qui risquait de prendre quelques heures, le temps qu'il chope un ferry et tout. Alors ils ont décidé de m'envoyer en service psychiatrique pour qu'on évalue mon état. Mais je ne me suis pas laissé faire et je me suis échappée du fourgon… enfin, c'est la version courte, fit-elle un peu gênée. Et ensuite…

Sa voix se brisa.

– Tu as appelé ton père, murmura May. On l'a compris grâce à la BD et Trick a fait des recherches. Mullins l'a tué parce qu'il voulait te secourir.

Libby acquiesça, puis elle posa les canettes de soda pour prendre la main de May dans la sienne. Tout doucement, elle poursuivit :

– Mon père a pris le premier vol, en donnant son vrai nom pour la réservation. Pareil pour la location de voiture. Mais Bones… c'est un génie de l'informatique, il n'a eu aucun mal à retrouver sa trace avant que papa ne puisse venir me chercher.

Elle avait les yeux brillants, mais elle ne pleurait toujours pas.

– Après ça… j'avais peur de demander de l'aide à qui que ce soit. S'il était capable de mettre la police dans sa poche, de traquer mon père pour l'éliminer, alors il était capable de faire n'importe quoi à n'importe qui. Et puis peut-être que je n'avais plus l'esprit clair après tout ce temps…

– C'est pour ça que tu as créé la BD ? Pour attirer mon attention sans alerter Mullins ? C'est une idée géniale, Libby !

Cette dernière rectifia :

– Je l'ai fait pour moi, aussi. C'était une sorte de thérapie, raconter mon histoire, me remettre à dessiner.

Elle se tut un instant.

– Puis Jack m'a suggéré de la mettre en ligne pour voir si on pouvait te retrouver. Et, sur le coup, ça m'a semblé une bonne idée… mais Bones l'a su. Peut-être qu'il est tombé dessus par hasard, je ne sais pas. Il a dû se dire que ça le mettrait sur ma piste, mais en fait, pas vraiment. Il n'a pas pu remonter jusqu'à l'adresse IP, pas avec le super firewall que Corbeau avait mis en place.

– Et puis les indices que tu avais semés dans la BD étaient vraiment subtils, il faut dire.

– Forcément, puisqu'ils t'étaient destinés.

Libby serra la main de son amie dans la sienne et May fit de même.

– Je voulais que tu fouilles dans la vie de ce type parce que j'aurais eu beau le raconter à la police, pour les autorités je suis une ado cinglée, fugueuse, qui raconte n'importe quoi. Il fallait que ça vienne de quelqu'un d'autre. Je me disais que si ça venait de toi... peut-être que ça te protégerait également. Qu'il réfléchirait à deux fois avant de t'abattre, sachant que tu possédais des preuves contre lui.

May rit un peu jaune.

– Mouais... alors, là, ça n'a pas franchement fonctionné. Il s'est lancé à ma poursuite quand même. Mais ce n'est pas ta faute, s'empressa-t-elle d'ajouter. Pour le coup, on peut remercier Trick.

– C'est ce que Jack m'a dit... que ton ami, ça allait... qu'il n'était pas assez prudent.

– Ça le résume assez bien. Pour sa défense, cependant... c'est grâce à lui qu'on est là, quand même. À Corbeau et à lui. Je regrette seulement que ça ait pris aussi longtemps.

Elle soupira.

– Quand je me suis aperçue que la BD paraissait en ligne depuis six mois et que je ne l'avais jamais lue, que je n'en avais même jamais entendu parler... je me suis sentie tellement bête !

– Nan, ne t'en veux pas. C'est juste une BD en ligne comme il y en a des tonnes sur le Net.

– Mais... comment tu en es arrivée à la faire ? Et comment tu es arrivée là ?

Libby prit une profonde inspiration puis expira lentement.

– Il m'a séquestrée pendant près d'un an, dans sa maison de Bainbridge, emprisonnée dans une chambre. Il m'appelait Christina. J'ai cru que j'allais devenir folle. J'ai arrêté de manger, pour me laisser mourir parce que c'était le seul moyen de sortir de cette maison. Mais une nuit... une nuit, j'ai rêvé de ma mère. Elle me disputait, me criait de rester forte et de m'évader. Dis, tu crois aux fantômes ?

– Bien sûr, répondit May sans trop savoir si c'était vrai, mais ça importait peu.

– À ceux qui visitent nos rêves en tout cas. C'était peut-être seulement dans ma tête, mais ça m'a secouée. Ça m'a mise en colère. Du coup, j'étais fermement déterminée à lui échapper... Seulement, ensuite, je me suis heurtée à la police, et tu connais la suite. Je ne pouvais m'arrêter nulle part, je ne pouvais me reposer nulle part. En plus, je n'avais pas un dollar en poche. Puis, un jour, j'ai rencontré Jack en ville. J'ai essayé de lui piquer son appareil photo, lui confia-t-elle en esquissant un sourire. Maintenant, il veille sur moi. Et je vis ici.

– C'est... c'est ton petit ami ?

– Non ! Mais il en a un. Il préfère les garçons.

May était soulagée d'apprendre que Jack n'exigeait pas quelque chose en échange de son soutien. Elle l'appréciait et elle aurait été déçue, sinon.

– Il fait ça souvent, de ramasser les ados perdus dans la rue ?

– Oui, ça lui arrive. Mais en général ce sont des toxicos. Il a eu son lot de problèmes, lui aussi, alors ça le touche. Et puis, il n'aime pas la police, et les flics ne sont pas tendres par ici. Alors il recueille parfois d'autres jeunes qui sont à la rue.

Elle s'interrompit et regarda autour d'elle.

– C'est moi qui suis restée le plus longtemps, jusque-là... Forcément, je n'ai nulle part où aller.

– On va arranger ça, affirma May.

Libby pouffa.

– Quoi ? Je suis sérieuse.

– Je sais. C'est juste ton accent qui ressort tout à coup.

– Arrête ! C'est même pas vrai.

May gloussa à son tour.

Elles entendirent Corbeau demander de l'étage du dessus :

– Vous n'êtes pas déjà en train de vous disputer, au moins ?

Et il surgit de l'escalier, avec Trick sur les talons.

– Mais non, je la taquine, elle le sait bien, se justifia Libby.

– Elle peut se moquer de mon accent tant qu'elle veut. Et vous alors ? Vous avez trouvé un terrain d'entente ? Au moins, vous ne vous êtes pas entretués.

May plaisantait, mais ils faisaient une telle tête qu'elle reprit plus sérieusement :

– Qu'est-ce qui se passe ? Y a un problème ?

– Mullins est en fuite.

Trick sortit un petit portable de la poche arrière de son jean et le tendit à Libby.

– Il est malin, il n'a pas traîné.

– Pas traîné pour quoi ? demanda May.

Corbeau haussa les épaules.

– Il a dû filer à Bainbridge pour détruire son parc de serveurs avant de quitter le pays. Il sait que tu as des preuves sérieuses sur l'identité de Libby, ou tout du moins il le craint. Tu as assez de matière pour demander une exhumation. Et puis, il est au courant que Trick a trouvé les résultats de tests de Libby pour le don de moelle osseuse parce que ton pote les a dénichés sur son serveur. Ça fait beaucoup, l'étau se resserre. Il va lever le camp tant qu'il le peut encore.

Trick fronça les sourcils.

– Ce que j'ai déniché sur son serveur... Attends, tu veux parler des chiffres qui étaient sur le masque ? Le pdf sur l'essai clinique ? Je pensais que c'était le dossier médical de la fille de Mullins.

– Non, c'était à Libby. Et ce n'était pas un essai clinique, c'était une recherche de donneurs sponsorisée par un groupe pharmaceutique et...

– Mais Libby n'a jamais eu de cancer ! le coupa May.

– Non, confirma l'intéressée, mais avant qu'on se connaisse il y a une fille dans ma classe qui a eu une leucémie. Ses parents cherchaient un donneur compatible. À l'école, tout le monde voulait l'aider et presque tous les élèves ont passé les tests. Sauf que personne n'était compatible et qu'elle est morte. C'était affreux.

Corbeau enchaîna :

– Les élèves étaient mineurs, leurs résultats ont donc été enregistrés anonymement dans la base, avec un numéro. Et toutes ces infos ont été conservées à l'hôpital. Voilà comment Mullins a découvert que Libby était une donneuse potentielle pour sa fille : c'est lui qui héberge les archives de l'hôpital sur son serveur. Il a brouillé les pistes en changeant le nom du document pour qu'on croie à un essai thérapeutique, c'est pour ça que le fichier s'appelait Xerberox.

May se leva et posa sa canette de Coca vide sur le comptoir de la cuisine.

– OK ! Je crois que j'ai compris. Plus ou moins. Mais bon, on est tous là, Libby est vivante et on peut le prouver. C'est le plus important.

– Non ! objecta Corbeau. Le plus important, maintenant, c'est d'attraper Mullins.

Trick leva les mains en signe d'exaspération.

– Mais il est sans doute rentré chez lui ! Si ça se trouve il a déjà passé les lieux au lance-flammes.

– Non, répliqua Corbeau. Je le sais parce que j'ai posé un mouchard sur le 4 × 4 qu'il a abandonné à Fremont. Il a déclaré le vol hier – il a toujours un train d'avance, ce type – et il est allé le récupérer à la fourrière.

– Il est gonflé, commenta Trick.

– D'après mon expérience, les mecs blancs, riches, bien habillés et bien élevés obtiennent toujours tout ce qu'ils veulent.

– Bah, il est juste allé au commissariat, il a dit qu'on lui avait volé sa voiture, il leur a tendu une fausse carte grise ou son permis de conduire et il l'a récupérée dans l'heure, c'est tout

Trick désigna Corbeau du pouce.

– Mais par chance l'oiseau a eu le temps de lui coller un mouchard.

– Je l'ai glissé derrière les amortisseurs arrière avant qu'ils ne l'embarquent.

Consultant l'écran de son smartphone, il ajouta :

– Il roule vers l'ouest.

Libby se leva d'un bond.

– Il faut faire quelque chose.

– On pourrait appeler la police, suggéra May, ils seraient chez lui avant nous. Tu sais où il habite, hein, Libby ?

– La police ? fit Corbeau avec un sourire mauvais. Pour leur dire quoi ? Quand Libby leur a expliqué qui elle était, ils ne l'ont pas crue et on n'arrivera jamais là-bas à temps pour les convaincre. Ils le relâcheront, si tant est qu'ils prennent la peine de l'arrêter. On pourrait l'accuser d'être le chauffeur fou de Fremont... mais s'ils lui ont rendu sa voiture, c'est qu'ils ne le considèrent pas comme un suspect potentiel.

– On pourrait leur dire qu'il stocke sur son serveur des documents en rapport avec des activités illégales, proposa Trick. Comme une attaque terroriste.

– Ouais, pas mal, mais c'est risqué. Et je vais vous dire pourquoi..., commença Corbeau.

Il prit une chaise, et s'assit à l'envers dessus, accoudé au dossier.

– Si on leur dit qu'il héberge des trucs louches sur son serveur, les flics vont saisir toutes les machines. En admettant qu'ils soient un peu doués et qu'ils n'effacent pas les données sans le vouloir, ça prendra des mois, voire des années, avant qu'ils analysent tout et qu'ils trouvent le bon fichier. Et en attendant ils seront obligés de le relâcher.

Trick secoua la tête, abattu.

– Mmm, t'as raison. Les flics, le FBI, tout ça... c'est vraiment pas des as de la technologie.

– Alors qu'est-ce qu'on fait ? gémit May, au désespoir. On ne peut pas se téléporter chez lui et lui piquer tout son matos avant qu'il arrive.

Un lourd silence se fit.

Lentement, presque à contrecœur, Corbeau reprit cependant :

– Bah... en fait, on n'a pas besoin de tout son matos... juste de quelques fichiers compromettants... un truc qui fait le lien entre sa fille et Libby. Si on a vraiment de la chance, il y a peut-être des analyses de sang ou des tests ADN de Libby avant sa disparition. Ça prouverait son identité de façon irréfutable et on enverrait Mullins en prison à perpétuité.

Libby passa la main dans ses cheveux tout mités.

– Vous croyez qu'on peut arriver là-bas avant lui ?

Corbeau jeta un coup d'œil à son portable, où un point clignotant figurait la progression du 4 × 4 de Ken Mullins.

– C'est l'heure de pointe, il va devoir laisser passer un ou deux ferries. Mais pas nous, si on y va à pied. Ou alors... on pourrait essayer de trouver un autre moyen de locomotion. Tu sais où est installé le serveur ? Ce doit être quelque part dans la maison.

– Pas vraiment, répondit Libby. Il me retenait au premier étage ou au grenier. Les portes du rez-de-chaussée étaient verrouillées en permanence. Quant au sous-sol, je ne sais pas... C'est une grande maison, mais pas tant que ça. Et un parc de serveurs, c'est énorme, non ?

– S'il a seulement quelques clients en freelance, ça peut tenir dans une seule pièce. C'est sûrement au sous-sol, ou derrière une des portes fermées du rez-de-chaussée. Il faut un endroit bien climatisé, sinon ça chaufferait trop.

May réalisa alors qu'ils étaient réellement en train d'envisager d'entrer par effraction chez Ken Mullins. Ils en parlaient sérieusement, échafaudaient un plan. C'était dingue. Absolument délirant, dangereux et sans réelle chance de succès. Mais May était arrivée jusque-là, elle n'allait pas faire marche arrière maintenant – même si elle en avait eu envie, pas alors que ce tueur psychopathe rôdait dans les parages. Aucun d'eux ne serait en sécurité tant qu'on ne l'aurait pas arrêté. Surtout pas Libby.

May ne pouvait supporter l'idée de la perdre à nouveau alors qu'elle venait juste de la retrouver.

– Alors allons-y, c'est notre seule chance.

Trick planta ses yeux dans les siens.

– Tu sais quoi ? On va l'avoir, ce salaud. Je suis avec vous.

– Vous êtes sûrs ? Tous ?

Corbeau dévisagea Libby en l'interrogeant :

– Tu veux vraiment retourner là-bas ?

Elle avait l'air partagée entre la terreur et la soif de vengeance.

– Non, bien sûr que non. Mais je ne veux pas non plus qu'il file dans la nature.

Les lèvres pincées, le regard dur, Corbeau réfléchissait, listait ce dont ils allaient avoir besoin, se préparant déjà mentalement à l'action – May voyait presque les engrenages de son cerveau tourner et ça la remplissait d'espoir… tout autant que d'angoisse.

Finalement, il déclara :

– Si j'arrive à m'introduire dans son installation, je peux sélectionner ce qui est important pour l'envoyer sur le cloud ou le mettre sur un disque. Je sais ce qu'on cherche, il suffit que je voie son système pour dénicher en moins d'une minute ce qu'il nous faut. J'aimerais juste avoir un moyen de le faire à distance, sauf qu'il n'y en a pas. Je me suis pourtant creusé la tête… mais il faut qu'on aille sur place.

Libby hésitait.

– Corbeau, je te dois déjà tellement...

Il lui adressa un sourire chaleureux.

– Tu m'as entraîné dans la plus grande aventure de toute ma vie, miss. Je veux savoir comment ça finit. Et en plus on ne peut pas faire confiance à Junior... (Il désigna Trick.) pour pénétrer dans le système sans se faire repérer.

– Bah ! protesta Trick.

Mais Corbeau lui tapota l'épaule, comme pour lui signifier qu'il plaisantait.

– Super, fit May en avalant la grosse boule qu'elle avait dans la gorge. Alors... on est les quatre mousquetaires ?

Elle tendit la main droite devant elle et les autres l'imitèrent un à un.

– Ça roule ! fit Corbeau.

Il ôta sa main pour consulter à nouveau son téléphone.

– On file au port maintenant pour monter sur le ferry avant que Mullins embarque avec son 4 × 4. On peut y arriver... mais va falloir se bouger !

VINGT-TROIS

Ils s'enfoncèrent dans le Seattle souterrain, traversant les sous-sols, caves, locaux abandonnés et tunnels qui s'entrecroisaient sous les rues de la ville.

Ils arrivèrent devant un passage sans porte, mais avec une marche très haute. Le sol était beaucoup plus bas qu'il ne l'aurait dû car les fondations s'étaient affaissées. On aurait dit que la pièce coulait lentement vers les profondeurs de la terre.

– Où on est ? voulut savoir May.

La réponse ne lui dirait sûrement rien, mais elle se sentait tellement perdue que ça la rassurerait quand même de constater que quelqu'un savait ce qu'ils faisaient et où ils allaient. Corbeau s'arrêtait parfois, hésitant, si bien qu'elle se demandait s'il connaissait si bien que ça ce labyrinthe souterrain.

– On n'est pas loin, répondit-il laconiquement.

– Tu ne peux pas être un peu plus précis ? insista Libby.

– OK, on est tout près. Le départ des ferries est au prochain pâté de maisons.

– Et le 4 × 4 ? s'inquiéta Trick.

– Pas assez de réseau pour vérifier. Je regarderai quand on sera remontés. S'il se rend au port depuis la fourrière, il va tomber dans les bouchons. On devrait avoir dans les vingt minutes d'avance, je pense.

May sortit son téléphone. Une seule barre s'affichait et s'éteignait.

– Et s'il ne va pas au ferry ?

Trick s'élança du haut de la marche.

– Où veux-tu qu'il aille ?

Elle rangea son portable avant de sauter à son tour.

– Je ne sais pas. Chez nous ? Il a bien traqué le père de Libby... et s'il s'en prenait à nos parents ?

Corbeau braqua sa grosse torche sur eux.

– D'après ce que j'en ai vu, l'immeuble grouille de flics. Pas d'inquiétude à avoir.

Libby leur rappela alors :

– Vous avez vu le signal du mouchard. Il se dirige par ici...

Corbeau grimpa une volée de marches en béton craquelé, avec une barre de fer en guise de rampe. Elle était poisseuse et rouillée, sale et mouillée. May s'efforça de ne pas la toucher en montant.

Lorsqu'en haut de l'escalier la porte s'ouvrit, la lumière laiteuse du jour inonda les marches.

– Allez, vite, les pressa Corbeau en les entraînant dans un espace juste au-dessous du niveau de la rue.

Le trottoir était à moins d'un mètre au-dessus d'eux. Ils étaient tapis contre le mur d'un vieux bâtiment, près d'un panneau annonçant un chantier municipal.

– Surtout soyez discrets. Si le bruit se répand qu'on peut passer par là, ils fermeront le passage.

Ils grimpèrent en hâte sur le trottoir, glissèrent les mains dans leur poches, consultèrent leur portables, puis rajustèrent leurs blousons. May n'aurait jamais cru qu'il était si difficile de prendre un air normal et dégagé.

– Il y a de nouveau du réseau, murmura Libby en contemplant l'écran que Corbeau tournait vers elle. Mais le 4 × 4 ne bouge plus. Soit il l'a garé, soit il l'a abandonné quelque part. Ou alors il est coincé dans les bouchons.

– Où ça ? la questionna Trick.

Elle scruta le téléphone, en l'abritant du soleil avec sa main.

– Près de la gare. Il a dû vous suivre jusque là-bas… ou bien il est passé par là parce qu'il pensait que ça roulerait mieux.

Corbeau haussa les épaules.

– Alors c'est qu'il n'a jamais vécu en ville. S'il est toujours dans son véhicule, on a de l'avance sur lui.

– Mais on risque de la perdre au port s'il n'y a pas de départ tout de suite, soupira May. Oh, bon sang ! Et si on se retrouve sur le même bateau ?

Corbeau acquiesça.

– T'as raison, ça craint. On devrait peut-être procéder autrement, du coup. On pourrait rejoindre l'île en Zodiac, ça risque de secouer un peu, mais ça nous permettrait d'arriver à Bainbridge avant le ferry.

Trick écarquilla les yeux.

– Un Zodiac ? Tu veux dire un petit machin gonflable avec un moteur ? Et si on percute un oiseau, un phoque ou je ne sais quoi ? On ne pourra jamais faire la traversée jusqu'à Bainbridge.

– Ce n'est pas si fragile que ça, et c'est super rapide, objecta Corbeau.

May voyait que cette idée l'enthousiasmait de plus en plus… alors qu'elle la terrifiait au plus haut point.

– Faudra semer les garde-côtes, mais ce n'est pas bien compliqué.

– Est-ce que tu sais seulement par où il faut passer ? s'inquiéta-t-elle. Tu as une carte, quelque chose ?

– Pas besoin de carte. Je l'ai déjà fait.

Libby se tourna vers May.

– Si Jack dit qu'il l'a déjà fait, ça veut dire qu'il a tout mémorisé dans les moindres détails. Il a un sens de l'orientation super développé.

– Ouais, sûrement, répondit May d'une voix anxieuse. Mais l'idée de traverser le détroit sur une grosse bouée me tente moyen, franchement.

– Moi pareil, avoua Libby en la prenant dans ses bras. Mais on n'est pas là pour s'amuser, et franchement ça pourrait être pire. Je pourrais être obligée de le refaire toute seule. En barque.

May se serra contre elle, puisant de l'énergie dans l'étreinte de son amie – qui n'était pas un fantôme, mais Princess X armée de sa katana violette, la fille grise assoiffée de vengeance. À l'oreille de son amie, si bas que les garçons ne l'entendirent pas, elle glissa :

– J'ai confiance en toi.

Libby l'étreignit plus fort en retour.

– Bien.

Le portable de May vibra dans sa poche : c'était encore son père. Elle ne répondit pas. Il n'avait pas besoin de savoir ce qu'ils faisaient.

Ou peut-être que si, justement.

Peut-être valait-il mieux que quelqu'un soit au courant, juste au cas où ça ne fonctionnerait pas comme ils l'avaient prévu... au cas où leur Zodiac se retournerait, où ils se retrouveraient à l'eau, obligés de traverser le détroit à la nage... ou de couler. Au cas où Ken Mullins arriverait chez lui avant eux.

– Hé..., lança-t-elle alors qu'ils se rendaient dans une petite boutique sur Alaskan Way. Corbeau, tu as dit que tu pouvais copier les fichiers nécessaires en moins d'une minute, c'est bien ça ? Alors si on appelait la police dès qu'on est chez Ken ? Ils mettront bien plus d'une minute pour arriver, mais en cas de problème on aura des renforts. Il pourrait nous choper... et il a déjà tué des gens.

Libby hocha la tête.

– Je sais que tu n'aimes pas les flics, mais franchement...

Elle posa la main sur le bras de Corbeau.

– ... on ne sera tranquilles que lorsqu'il sera mort ou en prison... et je ne suis pas sûre d'être très douée en meurtre.

– D'accord, juste pour cette fois, on peut les rencarder. L'un de nous n'aura qu'à appeler le 911 une fois qu'on sera là-bas, ça me laissera assez de temps. Ça te rassure, May ?

– Un peu.

– Bon, c'est déjà ça. Maintenant, restez là, j'en ai pour une minute.

Corbeau passa la tête dans le petit salon de tatouage et s'adressa à un gamin avec une crête et des piercings partout.

En attendant, May sortit son portable et tapa discrètement un texto pour son père :

Ken Mullins, île de Bainbridge. Va à Lake View et regarde dans la crypte de Christina Mullins.

Elle le lut et le relut, en se demandant ce qu'elle pouvait ajouter. Lorsque Corbeau ressortit avec un trousseau de clés, elle se dit que ce ne serait pas plus mal d'ajouter :

Retrouvé Libby.

Mais une fois qu'ils furent entassés dans le petit bateau noir, les genoux sous le menton, les épaules voûtées pour se protéger du vent, elle appuya sur ENREGISTRER. Elle ne pouvait pas envoyer le message tout de suite, sinon son père allait appeler la police et tout serait fichu avant même qu'ils soient sur place. Mais juste au cas où ça tournerait mal – où Ken les capturerait et où la police n'arriverait pas à temps –, elle pourrait envoyer son message de sorte que son père sache où la chercher.

Elle ou son assassin.

Elle frissonna en rangeant son téléphone dans sa poche.

Personne ne dit un mot tandis que le Zodiac démarrait et s'éloignait de l'endroit où il était attaché. Corbeau maniait l'engin comme s'il avait déjà fait ça des centaines de fois – donc pas besoin de s'inquiéter sur ce point. Le réservoir d'essence était plein – il avait vérifié avant de partir. Ils pourraient revenir en ville une fois qu'ils auraient fini, si jamais ils manquaient le dernier ferry. Sinon Corbeau avait affirmé qu'ils pourraient laisser le Zodiac à Bainbridge, un ami viendrait le reprendre plus tard.

May contempla le ciel. Une belle lueur orangée éclairait encore l'horizon à l'ouest... mais, lorsqu'elle tourna la tête vers la ville, la côte scintillante et les immeubles qui s'allumaient petit à petit, elle eut mal au cœur.

C'était peut-être le mouvement du Zodiac qui tanguait sur les vagues alors qu'ils fonçaient sur les eaux noires. Ou la vue de l'énorme ferry, à quai... qui souffla brusquement un coup de corne de brume et leva l'ancre dans leur sillage, avec sans doute Mister Bones à son bord.

Ou alors le fait qu'elle venait de se rendre compte qu'ils n'avaient pas de gilets de sauvetage et qu'ils allaient pénétrer par effraction chez un tueur.

Enfin, quelle qu'en soit la raison, son estomac se tordait, se tortillait, se balançait dans son ventre, même quand Libby passa un bras autour de ses épaules. Son amie n'avait pas le dos assez large pour la protéger du vent qui s'insinuait par les moindres fentes de sa veste en velours. Et le Zodiac n'était pas assez puissant pour battre à la course le coucher du soleil. La nuit gagnait du terrain. Elle suivait le bateau, de plus en plus près, sur leurs talons. Mais personne n'en parlait, car personne ne disait rien. Ce n'était pas une simple aventure, c'était une histoire de vie ou de mort. Et que peut-on dire quand des vies sont en jeu ?

Voilà à quoi elle réfléchissait tandis qu'elle se cramponnait à Libby, si fort qu'elle remarqua à peine que Trick était venu s'asseoir à côté d'elle, de l'autre côté. Si cela dérangeait Libby, elle ne le montra pas. Elle cria simplement à l'oreille de May, bien fort pour couvrir le vacarme du moteur et du vent :

– On est presque arrivés.

May distinguait l'île. Une silhouette verte, basse, dont ils se rapprochaient à grande vitesse... Hélas, lorsqu'elle jeta un regard par-dessus son épaule, elle vit le ferry qui se dressait juste derrière eux. Si Ken Mullins était à bord – et elle avait le sombre pressentiment que c'était le cas –, alors leur avance se réduisait de minute en minute.

Corbeau orienta le Zodiac vers le port, ralentissant le moteur, qui se tut. May avait encore les oreilles qui bourdonnaient mais, maintenant, elle entendait les mouettes déchaînées, qui cherchaient un abri pour la nuit. Elle sentait le battement sourd du cœur de Libby. Elle se dégagea de son étreinte.

Le bateau s'arrêta.

Il y avait un rouleau de corde dans le fond. May le tendit à Corbeau lorsqu'il le lui demanda. Il l'attacha à un poteau, tout près des rochers glissants qui dépassaient encore de l'eau. D'ici quelques heures, la marée les submergerait, mais avec un peu de chance ils seraient repartis bien avant.

– Tout le monde dehors, ordonna Corbeau à voix basse. Il y a une échelle, juste au-dessus des rochers. Faites attention.

– Tu as vraiment déjà fait ça ? s'étonna May.

– Oui, je venais de temps en temps autrefois, dit-il en les aidant un à un à grimper sur les rochers.

Ils le distinguaient à peine dans l'obscurité, d'autant qu'il était habillé tout en noir. Mais ils ne pouvaient pas risquer d'allumer la torche, alors que le ferry sifflait pour avertir le port de son arrivée et inviter tous les passagers à se préparer à débarquer.

Libby s'arrêta au bas de l'échelle.

– C'est là où... euh, non, finalement. C'était plutôt par là.

Elle pencha légèrement la tête vers la droite.

– Par là quoi ? Par là que tu t'es enfuie ? demanda May.

Il y eut comme un silence, un temps suspendu, mais Libby le rompit aussitôt.

– Je ne sais pas. C'était quelque part par ici. Il faisait nuit, il pleuvait... C'était il y a longtemps.

Ils se hissèrent un à un, en file indienne, sur le ponton vermoulu où étaient attachés de petits rafiots et un ou deux autres Zodiac.

– Bon, fit May, dont le regard allait et venait entre le ferry qui accostait et l'obscurité à l'autre bout du quai. Par où on va, Libby ?

Celle-ci se mit en route.

– Suivez-moi.

– Tu te souviens bien du chemin ? lui demanda Trick. Enfin je veux dire précisément, quoi ? Parce qu'il fait carrément noir dès qu'on s'éloigne du port.

– Il faisait carrément noir quand je me suis enfuie, lui rappela-t-elle. Il suffit que je refasse le chemin en sens inverse. C'est presque tout droit. Il faut remonter la rue principale, et c'est là-haut.

May ne voyait pas bien ce qu'elle voulait dire, mais elle lui faisait confiance, comme elle l'avait promis.

– On tourne au feu ?

– Non, on attend d'être un peu plus loin sur la route.

– Mais on n'y voit rien, se plaignit Trick.

Corbeau était d'accord avec lui. Il sortit la torche de son sac, l'alluma, la cachant à demi avec la paume de sa main.

– C'est bon, on va faire comme ça. On risque de se rompre le cou dans le noir.

Lorsqu'ils se furent assez éloignés, et que Libby estima qu'ils étaient plus en sécurité, elle prit la torche en main. May se mit derrière Trick, Corbeau fermait la marche. Au bout d'un moment, leurs yeux s'accoutumèrent à l'obscurité. Ils distinguèrent un panneau indiquant GLENWOOD PARK. Il était flanqué de quelques réverbères qui baignaient le trottoir d'une lumière dorée.

– Mullins habite deux rues plus loin, leur annonça Libby. C'est la grosse maison beige aux colonnes blanches.

Corbeau enchaîna :

– Surtout faites attention si vous voyez un passant ou une voiture approcher. Il y a toujours un risque qu'on se soit trompés et qu'il soit déjà chez lui.

Ils continuèrent dans la rue qui montait.

Libby se figea. Elle regardait droit devant, les yeux écarquillés.

La maison était telle qu'elle l'avait décrite. Grande avec des colonnes blanches comme de la porcelaine ; le reste de la façade était d'une teinte jaunâtre à la lueur des lampadaires. May repensa aux yeux de son oncle quand il était hospitalisé, avec sa machine à dialyse qui bourdonnait auprès de lui. Cette maison avait l'air malade, mauvaise, hostile, comme celle de Mister Bones dans la BD.

May s'arrêta à côté de son amie. Après un trop long silence, elle murmura :

– Libby ?

– Il y a de la lumière dans le salon, mais il laisse toujours une lampe allumée. Et souvent les rideaux ouverts. Il se cache au vu et au su de tous.

Corbeau lui posa une main sur l'épaule.

– Tu es sûre d'être prête à encaisser ça ?

– Peu importe, répondit Libby.

May se demanda si elle le pensait vraiment ou si elle voulait s'en convaincre.

– Parce que, de toute façon, c'est lui ou nous, et c'est maintenant ou jamais.

Elle repoussa de son visage ses cheveux trempés par les embruns et se tourna vers ses amis.

– Mon choix est vite fait. C'est fini pour lui. Maintenant.

May murmura quelque chose comme « moi aussi ». Puis elle se détourna et sortit discrètement son portable de sa poche. Elle ouvrit le texto qu'elle avait écrit à son père et appuya sur ENVOYER.

VINGT-QUATRE

Ils convinrent d'un signal entre eux : s'ils voyaient quiconque ressemblant à Mullins, dedans ou dehors, ils enverraient le mot BONES par sms aux autres. Ils enregistrèrent le numéro de chacun afin d'être paré à toute éventualité.

May préférait cependant éviter de regarder son téléphone pour ne pas voir combien de fois son père avait essayé de la joindre (onze) et ne pas constater que même sa mère avait essayé de l'appeler d'Atlanta (trois fois). Différents numéros qu'elle ne connaissait pas s'affichaient également dans les appels récents. Elle supposait qu'il s'agissait de la police ou des autorités. Pour plus de sécurité, elle coupa la sonnerie, ne laissant que le vibreur, et fourra le téléphone dans sa poche arrière.

May et Trick grimpèrent jusqu'à la maison, emboîtant le pas à Corbeau et Libby. Les buissons épais les égratignaient au passage, mais Libby ne semblait même pas les remarquer, entièrement concentrée sur son objectif. Comme la princesse de la BD, avec son épée. La Quête touchait à sa fin, les Quatre Clés avaient été découvertes, l'heure était venue de libérer la princesse et tout son royaume. Ils étaient en train d'écrire le dernier chapitre dans la vraie vie. Elle se demandait bien ce que ça donnerait en BD sur @iamprincessx. Un faible sourire se dessina sur ses lèvres.

Ils suivirent à tâtons le soubassement en brique et le porche en bois, contournèrent un énorme climatiseur – ce qui surprit May, car ce n'était pas si fréquent dans la région. Du coin de l'œil, elle vit que Trick la regardait. Il tremblait légèrement. Elle tendit la main pour lui prendre le bras, comme si elle avait du mal à suivre le rythme – alors qu'en fait c'était uniquement pour se rassurer. Le fait qu'il soit visiblement angoissé la réconfortait : elle avait moins l'impression d'être une idiote et une traîtresse parce qu'elle avait peur.

Chaque fois qu'ils arrivaient au niveau d'une fenêtre, Libby se plaquait contre le mur, sur la pointe des pieds, et se tordait le cou pour voir à l'intérieur. Tous les rideaux étaient tirés, mais ils n'étaient pas parfaitement opaques – ceux de la cuisine en particulier étaient courts et en voilage.

Libby s'accroupit sous la fenêtre.

– Je suis pratiquement certaine qu'il n'est pas là.

– Comment va-t-on faire pour pénétrer à l'intérieur ? s'inquiéta May.

– Tu vois la fenêtre suivante ? Elle ne ferme pas bien. À l'époque, j'avais prévu de m'échapper par là, mais finalement ça s'est passé autrement. Je parie qu'il n'est pas au courant et qu'il ne l'a pas réparée.

– Elle est assez large pour nous tous ?

– Bien sûr.

Elle toisa Trick.

– Il n'est pas beaucoup plus grand que nous.

– Merci, répondit l'intéressé.

– C'était une constatation, pas une insulte, précisa-t-elle. Quant à Jack, d'accord, il est grand, mais tellement maigrichon qu'il va pouvoir se faufiler sans problème. Je passe la première, pour m'assurer que la voie est libre. Et après vous suivez.

– Qu'est-ce qu'on cherche exactement ? demanda May. Les serveurs, d'accord... mais je ne sais même pas à quoi ça ressemble.

– Moi, je sais, ne t'en fais pas, intervint Corbeau. En fait, c'est simplement une gigantesque installation informatique. Si vous voyez une pièce pleine d'ordinateurs et de matériel qui clignote, prévenez-moi, que je puisse me connecter. Si les flics ne trouvent pas de quoi l'inculper, s'il passe à travers les mailles du filet cette fois, il ne saura pas que j'ai toutes ses données. Moi je ne risque pas de me faire remarquer avec mon IP, pas comme Einstein Junior ici présent.

– Hé ! protesta Trick.

– Arrêtez, tous les deux ! soupira Libby.

Elle leva les bras et empoigna le cadre de fenêtre pour le secouer un peu. Hélas, il grinça, couina, mais ne bougea pas d'un pouce.

– Passe-lui ton canif, Trick, ordonna May.

– Couteau suisse, marmonna-t-il en s'exécutant.

Libby sélectionna le tournevis. Vingt secondes plus tard, la fenêtre cédait en émettant un léger craquement.

Dans le silence de la nuit, on aurait carrément dit un pétard qui explosait. Ils se figèrent un instant, aux aguets, puis Libby souleva la fenêtre. Elle s'ouvrit facilement, le cadre en bois était gonflé par l'humidité de la mer. Mais, lorsque May se posta devant, elle vit qu'une couche de peinture fraîche l'avait scellée. C'était un miracle qu'ils aient réussi à l'ouvrir.

Libby rendit le couteau suisse à son amie, qui le glissa dans sa poche de jean sans réfléchir. Corbeau se hissa sur l'appui de fenêtre et se faufila à l'intérieur, d'un mouvement fluide d'anguille. Il tendit l'oreille durant cinq ou six secondes, puis repassa la tête par la fenêtre pour annoncer :

– Je n'entends rien. Venez.

Il tendit la main et Libby la saisit. Elle essayait de grimper sur le rebord lorsque May posa un genou à terre pour lui faire la courte échelle. Son amie accepta son aide et se glissa tête la première à l'intérieur.

Ils l'entendirent chuchoter :

– C'est bon, Corbeau, je me débrouille. Commence à explorer les lieux.

Puis elle se retourna :

– Allez, May. À ton tour.

– Oui, vas-y, je te suis, enchaîna Trick.

May rampa à travers l'ouverture et laissa Libby la rattraper de l'autre côté. Elle se retrouva dans une petite salle de bains vétuste, avec des carreaux de métro blanc au mur et un carrelage en damier au sol. Trente secondes plus tard, Trick les rejoignit.

Libby posa une main sur l'épaule de May et l'autre sur celle de Trick.

– Ne vous approchez pas des fenêtres ou bien baissez-vous quand vous passez devant. N'allumez pas la lumière non plus, car il risquerait de le remarquer en arrivant.

Trick frissonna.

– Tu as pensé à tout.

– J'ai eu beaucoup de temps pour m'y préparer, répondit-elle en jetant un coup d'œil à droite puis à gauche dans le couloir. Trick, appelle la police. Dis-leur qu'on est au

3502 Willow Heights. Je monte à l'étage voir s'il y a quelque chose d'intéressant dans sa chambre, un serveur, un disque dur, quelque chose comme ça. Puis je vous rejoindrai en bas pour fouiller le rez-de-chaussée, mais d'ici là Jack aura sûrement trouvé la salle des serveurs.

– OK, répondirent May et Trick en chœur.

Libby se rua au bout du couloir et s'engouffra dans l'escalier qui montait au premier. Les deux amis restèrent un moment à la regarder, hésitants, puis Trick composa le numéro sur son téléphone, et May se lança.

Elle fit le tour du salon sans trop savoir ce qu'elle faisait là. Devait-elle chercher les serveurs ? La preuve qu'il avait retenu Libby en captivité ? Si elle tombait sur quelque chose de compromettant, s'en rendrait-elle seulement compte ?

Alors qu'elle se tenait au beau milieu de la pièce, elle se rappela qu'elle était censée rester loin des fenêtres – seuls deux longs rideaux la protégeaient des regards indiscrets. Elle se baissa et ouvrit le tiroir au bout de la table, qui se révéla contenir une télécommande et de vieux magazines, rien d'intéressant.

Ça la mettait mal à l'aise de fouiner partout comme ça. Elle n'aimait pas fouiller dans les affaires des autres, même si les autres en question étaient des assassins. Depuis toujours, on lui avait appris à respecter ce qui appartenait à autrui... enfin, plus ou moins... et voilà qu'elle faisait exactement le contraire.

Mais Libby s'affairait là-haut et Trick avait fini d'appeler la police, il farfouillait dans la cuisine – oui, il était dans la cuisine, à ce qu'il semblait. Elle entendit un tiroir s'ouvrir, le vacarme métallique des couverts.

Quant à Jack, il essayait toutes les portes, ouvrant de force celles qui résistaient.

Déterminée à remplir sa mission, elle alla voir à l'autre bout de la table, mais le second tiroir ne contenait que des moutons de poussière. Puis elle s'attaqua à la bibliothèque. Elle sortit les volumes un à un, et découvrit encore de la poussière, mais avec une grosse araignée en bonus. Franchement, les cambriolages, c'était très surfait.

Libby dévala bruyamment les escaliers. May et elle faillirent entrer en collision avec Corbeau sur le palier.

– Tu as trouvé quelque chose ? lui demanda May alors que Trick les rejoignait.

– Rien que des vieux cartons et des bouquins. C'est par où, le sous-sol, Libby ?

– Par là-bas.

Elle désigna une porte discrète mais d'allure costaude dans un coin de la cuisine.

Le ronronnement d'un moteur retentit à l'extérieur. Un rai de lumière s'infiltra entre les rideaux du salon et pénétra dans la pièce.

Ils se regardèrent, les yeux écarquillés, au bord de la panique.

– Ça ne peut pas être déjà la police, nota May.

– Et on n'a pas entendu la sirène, ajouta Corbeau.

– On sort, murmura Libby, concentrant dans ces deux mots trois années de terreur pure.

Si Libby voulait partir, c'était réglé : ils levaient le camp. Les filles trébuchèrent dans leur précipitation, et Trick leur emboîta le pas. Voyant que Jack traînait derrière, Libby s'arrêta.

– Viens, Corbeau ! supplia-t-elle alors que May et Trick se ruaient dans la salle de bains afin de pouvoir ressortir par cette petite fenêtre ridicule.

La lumière qui filtrait autour des rideaux était de plus en plus vive. Des phares. Qui remontaient l'allée menant sur le côté de la maison. Juste sous la fenêtre de la salle de bains.

Trick prit conscience de la situation exactement au même moment que May. Ils se firent face, aussi horrifiés l'un que l'autre, se demandant ce qu'ils allaient faire maintenant que leur seule issue était bloquée. Corbeau souffla dans un murmure appuyé :

– Pas par ici. Par le sous-sol.

– Mais on va se retrouver coincés, gémit Trick.

May lui agrippa le bras, serrant assez fort pour lui faire mal à travers sa veste.

– Il y a peut-être une porte en bas, une cave, quelque chose. Et puis la police ne va pas tarder à arriver, non ? Tu les as appelés il y a quoi ?...deux, trois minutes ? L'île n'est pas bien grande. On n'aura pas à se cacher très longtemps.

– OK, au sous-sol.

Il se dégagea de son emprise.

– Vite, les pressa Corbeau en les entraînant vers la porte que Libby leur avait indiquée.

Il l'ouvrit et les poussa tous dans l'obscurité – dans un sous-sol seulement éclairé par quelques lucarnes. S'il y avait de la lumière, ils n'osèrent pas l'allumer. Pas alors qu'une voiture était en train de se garer à côté de la maison. Le frein à main crissa, la portière du conducteur s'ouvrit puis se referma doucement, sans vraiment claquer.

Un bruit de pas qui contournaient la maison pour rejoindre la porte d'entrée.

Une clé qui cliqueta dans une serrure.

Au bas de l'escalier, ils se retrouvèrent dans une salle pratiquement vide, au sol de béton nu, où le moindre pas faisait un terrible écho. Mais résonnait surtout le bourdonnement d'une douzaine de serveurs, qui se dressaient telles des sentinelles dans cette pièce sombre et glacée. Corbeau sortit son téléphone afin d'examiner la façade des engins à la lueur de l'écran. En fait, il ne s'agissait pas de simples colonnes comme on aurait pu le croire au premier coup d'œil : elles étaient empilées les unes au-dessus des autres sur douze supports métalliques. On aurait dit un cimetière de matériel informatique, sauf que les machines ronronnaient et clignotaient faiblement.

– Une installation rétro, souffla Trick.

Corbeau acquiesça :

– Antique, mais efficace.

Ils entendirent faiblement, mais distinctement, la porte d'entrée se déverrouiller et la poignée tourner. Personne ne bougeait à part Corbeau, qui tira une clé USB de sa poche et s'en fut examiner les étagères métalliques. May balaya le sous-sol du regard. Il n'y avait pas d'autre porte.

Elle se demanda comment réagirait Mister Bones en voyant que quelqu'un s'était introduit dans son repaire. Là-haut, ils n'avaient pas pris le temps de refermer les tiroirs, des portes censées être verrouillées étaient ouvertes. Et une fenêtre au moins était entrebâillée. Elle ferma les yeux et tendit l'oreille. Pendant trente, quarante secondes, elle n'entendit rien du tout.

Puis Ken Mullins se mit à arpenter le rez-de-chaussée, à pas lents et mesurés. Aussi discret qu'un chat. Seule la pression sur le plancher au-dessus de leurs têtes trahissait sa présence. Les quatre intrus réfugiés dans le sous-sol pouvaient suivre sa progression aussi précisément que s'ils le voyaient.

May scruta la pénombre. Ses yeux s'étaient accoutumés au manque de lumière, elle distinguait le visage de Libby, avec ses grands yeux brillants, ses lèvres pincées par l'angoisse.

– Corbeau ? souffla-t-elle. Ça donne quoi ?

– Trouvé, répondit-il sans que May sache vraiment ce que ça signifiait.

Il tripotait un petit objet en matière plastique. Peut-être avait-il trouvé un clavier aux touches très souples.

– Il te faut combien de temps ? le questionna May.

– Encore une minute... J'essaie de dénicher les résultats d'analyses sanguines de Libby et tout ça.

– Tu... peux te dépêcher, s'il te plaît ? fit cette dernière d'une toute petite voix. J'ai envie de sortir d'ici.

– Il va peut-être monter à l'étage, suggéra May. On pourrait en profiter pour filer.

– Que fait la police ? se demanda Trick à voix haute. Ça fait bien cinq minutes que j'ai appelé.

– Chut ! siffla Corbeau.

May était au bord de l'implosion. Elle sentait le poids de la maison au-dessus d'eux, les pas de Mister Bones résonnant dans le bâtiment comme un battement de cœur.

– Il faut qu'on sorte d'ici, fit Libby d'une voix étranglée.

– Il ignore que nous sommes encore là, fit valoir Trick. Il va bientôt monter à l'étage...

Au moment même où il prononçait ces mots, l'écho des pas se modifia, s'éloigna. Il grimpait. May les compta sans même le vouloir.

-Vous voyez ? reprit Trick. Maintenant on n'a plus qu'à filer par la porte d'entrée ou la fenêtre de la salle de bains. Et vite se séparer une fois dehors. Tu en es où, Corbeau ?

Après un bref silence, celui-ci répondit :

-Terminé !

May entendit le léger cliquetis d'une clé USB qu'on retire.

-On ne peut pas vraiment se séparer, murmura Libby. C'est une bonne idée mais... il n'y a pas mille façons de quitter les lieux. Il nous faudrait quelque chose qui fasse diversion...

-Je m'en occupe ! affirma May. Je suis très distrayante quand je veux.

Elle n'en croyait pas ses oreilles ; c'était bien elle qui avait dit ça ? Elle se tourna vers Libby en s'efforçant de garder le sourire pour dire :

-Pourquoi toutes les aventures seraient réservées à la princesse, d'abord ? À mon tour de jouer les héroïnes. Je vais aller faire du bruit du côté de la porte d'entrée pendant que vous sortez par la fenêtre de la salle de bains et on se retrouve tous près du parc, sous le grand panneau.

-Bonne idée, mais je viens avec toi, intervint Trick. De toute façon, on ne peut pas passer par cette petite fenêtre tous les trois à la fois. Et deux personnes font encore plus de bruit qu'une seule, non ? Je vais t'aider.

May le dévisagea.

-Tu es sûr ?

-Sûr et certain.

Il lui donna une tape affectueuse sur le bras et grimpa l'escalier pour s'arrêter en haut, sur le petit palier.

May le suivit, Libby venait juste derrière, et Corbeau fermait la marche. Trick colla son oreille contre le battant de bois.

– Je pense qu'il est encore en haut, affirma-t-il, mais il n'avait pas l'air parfaitement convaincu.

Libby passa devant lui et saisit la poignée.

– On y va à « trois ». On court baissés, sans bruit. May et Trick, faites vite.

Ils acquiescèrent.

– Un... deux... trois !

Elle ouvrit la porte d'un mouvement maîtrisé et rapide.

Ils n'avaient pas bien loin à aller. Juste traverser la salle à manger, le salon, afin de rejoindre la porte d'entrée, qui était toujours ouverte – dieu merci.

Trick et May se ruèrent dehors et refermèrent sans bruit la porte derrière eux. Ils dévalèrent les marches du perron, foncèrent sur la pelouse, où ils se figèrent un instant pour jeter un coup d'œil en arrière. Par une fenêtre du premier étage, dans ce qui devait être une chambre, ils virent l'ombre d'un homme passer derrière les rideaux.

May frissonna. Trick également.

– Et maintenant, on fait quoi ? demanda-t-il.

– Hum...

Elle scruta la pelouse, sans trouver ce qui pourrait leur servir pour faire diversion. Des buissons, une allée en ciment, un parterre de fleurs mal entretenu, bordé d'une rangée de briques. Ça lui donna une idée.

– Tu as appelé pour signaler un cambriolage, non ?

– Ouais...

Il consulta sa montre.

– Il y a presque sept minutes. Ils ont peut-être cru que c'était une blague.

– Ou alors ils sont ramollos et il faut les motiver davantage.

Elle s'approcha des fleurs et déterra une brique.

– Qu'est-ce que tu… ? Oh.

– Écarte-toi.

Elle tendit le bras en arrière pour prendre son élan et jeta de toutes ses forces la brique à travers la fenêtre du salon. La vitre vola en éclats, la brique souleva le rideau et atterrit à l'intérieur avec un bruit sourd.

– Hé, Ken ! cria May

Sa voix résonna dans le silence de ce quartier tranquille. Elle avait envie de pleurer, elle avait envie de détaler en courant – mais il fallait que Libby ait le temps de prendre de l'avance. Alors elle cria à nouveau, à pleins poumons :

– C'est moi, Princess X !

Parce que c'était vrai, en quelque sorte. À la base, la princesse était pour moitié sa création – cette princesse munie d'une épée, et non d'une baguette. Et c'était elle qui s'était embarquée pour cette quête dans la vraie vie, qui avait trouvé la fille grise et qui s'efforçait de libérer le royaume de la princesse.

Sauf que May n'avait pas d'épée – juste un couteau suisse.

Et que Mister Bones arrivait.

Ken Mullins dévala les escaliers et traversa le salon à grands pas. Il criait, répétait sans cesse le même mot, quelque chose qui ressemblait à « Christina ».

– Trick, souffla May en tendant la main vers lui.

Il la prit dans la sienne.

– Ça va ?

– Oui, répondit-elle d'une voix paniquée.

La porte d'entrée s'ouvrit à la volée et Mullins surgit sur le seuil, éclairé par derrière : c'était un grand homme maigre, osseux.

Avec une arme à feu à la main.

Il balaya la pelouse du regard. May laissa échapper un petit cri et Trick avala sa salive lorsqu'il les repéra. Il leva son revolver dans leur direction – tout se déroulait au ralenti, le temps s'étirait comme du caramel mou.

Il fallait qu'elle l'éloigne. Vite.

Elle tira Trick par le poignet, non pas vers le côté de la maison et la fenêtre de la salle de bains, mais à l'opposé, vers le terrain voisin, vide, où se dressaient de grands arbres qui pourraient les abriter... loin de Libby.

Le premier tir résonna à ses oreilles. Jamais elle n'avait entendu un bruit aussi fort. Suivi presque simultanément par un deuxième bruit fracassant, lorsque le tronc du pin derrière elle vola en éclats. Elle sentit des échardes la frôler, se planter dans ses cheveux, lui égratigner le cou.

Il les avait repérés. Il venait droit sur eux. Et c'était tant mieux parce que ça voulait dire qu'il n'avait pas pris Libby en chasse, non ? Maintenant elle n'en était plus très sûre.

Trick la saisit par le bras et l'entraîna dans un slalom à travers le jardin, tandis qu'un autre coup partait, puis un autre encore. Impossible de savoir où avaient atterri les autres balles. May n'entendait plus rien, rendue sourde par l'écho des tirs qui résonnait dans son crâne.

Les arbres étaient plus serrés qu'elle ne l'avait cru de l'extérieur. Elle se cognait les épaules, les coudes et les genoux contre les souches noueuses et les troncs des immenses pins. Finalement, lorsqu'ils furent assez loin pour se cacher, elle se laissa tomber à terre et Trick l'imita.

Ils n'étaient guère à plus de cinquante mètres de la maison, pourtant ça leur semblait des kilomètres. Ils la voyaient encore, oui. Mais ils ne voyaient ni Libby ni Corbeau, ce qui était sans doute bon signe.

Sauf que Mullins entendit du bruit à l'intérieur.

Il tourna les talons et rentra, son arme toujours à la main. Il ne prit même pas la peine de fermer la porte d'entrée.

Le téléphone de May vibrait contre ses fesses. Trick avait déjà le sien à la main.

– C'est Jack. Il a dû sortir. Il dit d'avancer sur la route, il va passer nous prendre.

– Dans quoi ?

– Aucune idée. Allez, viens !

Un cri retentit dans la maison, suivi par un nouveau tir.

– Libby est encore à l'intérieur ! hurla May.

Elle commençait à retrouver l'ouïe et elle entendait la voix de son amie aussi clairement que si elle était dans le salon.

– Laisse-les tranquilles !

Des sirènes retentirent dans le lointain, mais ce n'était pas vraiment un soulagement. Trick la tenait fermement par le bras.

– Les flics arrivent. Reste là, on est en sécurité.

– Non !

May se releva en titubant et fit quelques pas vacillants en direction de la maison.

– Vas-y, toi ! Va retrouver Corbeau. Je ne peux pas la laisser. Pas cette fois.

C'était trop tard, de toute façon. Elle était déjà revenue sur la pelouse, face à la porte ouverte. Son propre pouls cognait à ses oreilles, ses pas résonnaient sur le porche en bois, puis sur le carrelage de l'entrée.

Les sirènes se rapprochaient. Elle les supplia d'arriver vite.

– Libby ! cria-t-elle.

Elle retint son souffle, juste une seconde – juste assez pour entendre que Mullins et son amie étaient à l'arrière de la maison. Peut-être derrière l'une des portes que Corbeau avait forcées.

– Libby, j'arrive.

Une voix lui répondit :

– Va-t'en, May !

Mais elle n'en fit rien. De la lumière s'échappait d'une pièce dans le fond. L'ombre de Mister Bones dépassait dans le couloir, avec ses longs membres osseux, son arme à la main. Il la pointait sur Libby, recroquevillée par terre, dans un coin de la chambre, le souffle court.

May se plaqua contre le mur, pétrifiée. Elle sentit alors quelque chose de dur contre sa cuisse. Elle tâta sa poche. Le couteau suisse de Trick. Elle le sortit et tira la plus grosse lame, puis s'avança lentement vers Mister Bones.

Elle marchait sans bruit, mais le parquet grinçait et elle entendait sa propre respiration, haletante, trop forte, trop rapide. Ça ne marcherait jamais. May n'était pas douée pour mentir et encore moins pour jouer les ninjas. Mais il fallait qu'elle fasse diversion, que la princesse ait le temps de s'enfuir.

– Va-t'en, May ! vociféra Libby.

Trop tard. Elle était juste derrière lui. Il suffisait qu'il jette un coup d'œil par-dessus son épaule pour l'apercevoir.

C'est ce qu'il fit. Et il la vit.

Elle lui rentra dedans, de côté – il s'était légèrement tourné pour la voir – et le toucha au coude. Il la repoussa dans le couloir. May n'avait rien, elle était simplement effrayée et enragée. Aussi, quand il recula, elle lui fonça à nouveau dessus, brandissant le couteau suisse. Cette fois, elle le fit tomber à la renverse, à l'intérieur de la pièce, presque sur Libby qui était tapie contre le mur.

Libby lui flanqua des coups de pieds, elle balança ses grosses bottines militaires comme une massue qui cognait dans la hanche de Mullins, dans ses côtes, son bras. Il ne lâcha pas son arme, mais tomba sur un genou, pivota et braqua le revolver dans l'autre sens – sur May, dont le cœur faillit s'arrêter alors même que Mullins n'avait pas encore tiré. Puis il visa à nouveau Libby, tout en reculant vers l'unique fenêtre de la pièce.

– Toi ! cria-t-il à May alors qu'il gardait son arme sur Libby.

Il avait sans doute l'intention de continuer sa phrase, mais quelque chose remua dans son dos, derrière la fenêtre. Un bloc de ciment passa à travers la vitre, le percuta entre les omoplates et le projeta en avant. Il s'écroula sur May et s'efforça de reprendre son équilibre, tout en visant n'importe quoi de son arme – le plafond, les murs, les filles, la fenêtre. Il se rétablit et fit volte-face, dérapant dans les éclats de verre alors que May se ruait sur lui, brandissant son couteau suisse.

Ce n'était pas une épée. À peine mieux qu'un canif. Mais la lame se planta néanmoins dans l'avant-bras de Mullins.

Il hurla et lâcha enfin son pistolet. Sauf que toute la pièce était jonchée d'éclats de verre et que, bizarrement, May avait les mains en sang. Mullins l'envoya voler dans les airs comme une vulgaire poupée de chiffon et elle s'écroula contre le cadre de la porte, la tête la première – elle entendit un craquement, sans savoir si c'était son crâne ou le bois. Elle lâcha le couteau et, pour la première fois de sa vie, vit réellement de petites étoiles. De vraies étoiles, pas comme dans les dessins animés. Plutôt du genre fusée de feu d'artifice qui retombe, crachant cendre et étincelles.

Le revolver tira à nouveau. Qui l'avait entre les mains? Mullins l'avait pourtant lâché, non? Peut-être que personne ne le tenait, que le coup était parti tout seul. Elle ne voyait rien. Des cris montaient du jardin et l'éclat rouge et bleu des gyrophares achevait de l'éblouir.

Elle chancela, cherchant son couteau suisse des yeux. Mullins titubait autant qu'elle. Quant à Libby, elle recula, accroupie, puis le contourna pour rejoindre son amie.

C'est alors que son regard tomba sur le bloc de ciment. Tant que Mister Bones était debout, May n'en avait pas fini avec lui. Le bloc était lourd, si lourd qu'elle n'était pas sûre de pouvoir le soulever – sauf qu'elle l'avait déjà entre les mains –, elle le hissa et le balança d'avant en arrière pour prendre son élan et le lancer... Elle atteignit Mullins dans les côtes. Il s'écroula, le souffle coupé.

Le bloc de ciment lui échappa des mains, écorchant ses paumes dans la chute. Elle tomba à genoux. Mais Libby était là, Libby la retint.

– Relève-toi ! ordonna-t-elle en la tenant sous les aisselles, pour la traîner vers le couloir.

Elle la tira, la poussa tandis que May s'efforçait de se remettre debout, de reprendre le contrôle de ses jambes et de marcher.

Sauf qu'elle avait toujours la vue brouillée. L'espace d'un instant, elle se réjouit de ne plus porter de lunettes. C'était déjà pénible de voir double avec des lentilles de contact. Avec ses vieux culs-de-bouteille, elle n'aurait même pas pu voir le bout des chaussures. Mais, là, elle voyait... Elle voyait ses pieds et elle arrivait à les poser, l'un devant l'autre. Elle avait besoin d'aide et on l'aidait. Libby la soutenait et Trick était là également.

– Venez, il faut qu'on sorte d'ici ! cria-t-il en la soutenant sous l'autre bras.

Les jambes de May se dérobèrent sous son poids, mais ses amis la tenaient fermement. Ils se ruèrent à l'extérieur tous les trois, se cognant dans l'étroite ouverture de la porte d'entrée – mais ça y était, ils étaient dehors, ils étaient libres. Dévalant le perron, dans le jardin, là où elle avait proclamé qu'elle était Princess X. Elle se demanda ce que Mullins en avait pensé. S'il avait entendu parler de la BD, s'il avait compris. Aucun bruit ne montait de la maison, plus de cris, plus de tirs.

Elle se sentait partir, mais elle luttait, parce que tout allait s'arranger, maintenant, non ? Libby était à côté d'elle, Trick était là, il y avait des voitures de police qui arrivaient avec leurs lumières rouges et bleues et leurs sirènes.

Libby traîna May jusqu'à une voiture garée devant la maison. Elle ne la reconnut pas, mais constata que Corbeau était au volant. La portière arrière s'ouvrit, ses amis la poussèrent à l'intérieur. Libby s'affala sur elle tandis que Trick s'installait à l'avant, du côté passager. Une fois que tout le monde fut en sécurité, Corbeau démarra et quitta l'allée dans un crissement de pneus.

May avait mal à la tête. Elle entendait les sirènes. Elle les entendrait sûrement à jamais, mais ce n'était pas grave, du moment qu'elles venaient pour les secourir. Elle posa sa tête sur les genoux de Libby et plongea ses yeux dans les siens. Son amie la dévisagea d'un air inquiet.

– Tiens bon, May. Tu as perdu un peu de sang, mais ce n'est pas méchant. Ça va aller.

May sourit.

– Ça va. Tout va bien.

Sauf qu'elle était très, très fatiguée. Plus qu'épuisée même. Alors puisque tout allait bien, que Libby était en vie et que la police venait cueillir Mister Bones... elle ferma les yeux, se laissa aller et sombra dans le sommeil.

VINGT-CINQ

Les filles étaient assises sur le trottoir, devant l'immeuble, avec un paquet de grosses craies de couleurs. May ramena les genoux contre sa poitrine, bien serrés, tandis que Libby se penchait pour pouvoir dessiner en plus grand. Elle se servait du tranchant de sa main pour mélanger le rouge et le jaune, créant des ombres subtiles dans la robe de Princess X. Elle était toujours rose, à manches ballons. Sauf que la princesse était plus grande, plus âgée. La robe était plus décolletée, avec une coupe plus chic. On aurait dit qu'elle allait à la cérémonie des Oscars, plutôt qu'à un bal.

Mais elle ressemblait toujours à Libby.

May regardait l'autoportrait prendre forme, envahissant tout le trottoir. Elle ne participait pas, parce que cette version de Princess X n'était pas la sienne. C'était l'histoire de Libby… et puis de toute façon May ne savait pas dessiner.

Son œil au beurre noir avait foncé, mûri, trois jours après l'arrestation de Ken Mullins par la police. Elle souffrait d'une fracture de l'orbite, selon les médecins. Avant d'aller mieux, ça devait passer par un stade où c'était pire, mais on lui avait assuré qu'au final tout rentrerait dans l'ordre – et elle était bien forcée de le croire, parce que c'était ça ou bien rester avec la tête de travers pour toujours.

–J'avais oublié de te dire, fit Libby sans quitter son chef-d'œuvre des yeux. Ils ont relâché Corbeau hier soir. Ils ne l'ont gardé que quelques jours, grâce à toi. Tu l'as défendu bec et ongles – et puis il n'a fait de mal à personne. La dame a récupéré sa voiture, sans une rayure, en plus.

– Je ne me rappelle pas grand-chose, à vrai dire.

Elle s'était réveillée sur une civière sous une lumière si vive qu'elle était complètement éblouie. On l'avait mitraillée de questions et elle se souvenait avoir parlé de Corbeau, en effet. « C'est mon ami, oui. Il nous a aidés, oui. Vous n'avez pas intérêt à lui faire du mal ! »

– Tu as aussi beaucoup parlé de Mullins. Ils l'ont inculpé ce matin. Kidnapping, meurtre, séquestration... Je ne vois pas bien la différence entre kidnapping et séquestration, mais bon. Ils le tiennent pour tout un tas de trucs. Je devrai sûrement témoigner au procès.

– Ouais, sûrement.

– Ça craint.

Libby se tut.

– Et qu'est-ce que je leur ai dit sur toi ? demanda May, pour essayer de faire revenir un sourire sur ses lèvres.

Elle se rappelait avoir tenté d'expliquer – une histoire de princesse, et de sa meilleure amie au monde, et des os, et sa mère morte. Elle avait voulu tout leur raconter, mais la lumière était tellement forte, et elle avait tellement mal à la tête... Elle leur avait retracé les grandes lignes par bribes, ils avaient sans doute mis cela sur le compte de son traumatisme crânien.

– Je ne sais pas, répondit Libby. Mais ils ne m'ont pas arrêtée, c'est déjà bien.

– Ils n'auraient pas fait ça !

– Pourquoi pas ? riposta son amie en relevant enfin la tête. Je suis entrée dans une maison par effraction, après tout. Je pensais passer quelques nuits en prison avant de réussir à prouver mon identité. Ou avant que tu puisses venir me rendre visite et me défendre. Mais l'intervention de ton père a aidé. Il se souvenait de moi.

– Bien sûr que oui. Il ne s'est écoulé que trois ans, pas trois siècles.

– Tu crois que ça l'ennuie que j'habite un peu chez vous, juste quelque temps ?

May sourit.

– Si ça l'embêtait, je t'assure qu'il n'aurait pas proposé. Mais finalement il est plutôt cool, beaucoup plus cool que je ne le pensais. Il a dit que tu pouvais rester aussi longtemps que tu le voulais. C'est pour ça que je commence à le croire quand il affirme ne vouloir que mon bonheur.

– Évidemment qu'il ne veut que ton bonheur, c'est ton *père* !

– Oui, oui, mais il y met vraiment du sien, quoi. Bon sang, il essaie même de donner un coup de main à Trick parce que c'est mon ami, alors qu'il le connaît à peine.

– De l'aider comment ?

– Vu qu'il a permis de résoudre une affaire de kidnapping, tout ça...

Elle glissa un sourire en coulisse à son amie.

– ... l'université de Washington a accepté de revoir son dossier pour la bourse. Ils le reprendront peut-être, mais il lui faut des références, et mon père s'est porté volontaire.

– En parlant de Trick, on devrait l'inviter pour notre chocolat chaud de l'après-midi, qu'il ne se sente pas trop mis à l'écart.

May haussa les épaules.

– Je lui enverrai un texto, voir si ça le tente. Il est sympa, comme pote. Et on peut compter sur lui quand on est coincé sur une île avec un tueur psychopathe.

– Il n'est pas bête, concéda Libby. C'est déjà quelque chose.

– Je ne t'aurais jamais retrouvée sans lui.

Libby apporta la touche finale à l'épée de la princesse, puis se pencha en avant pour souffler la poussière de craie volante. C'était un dessin magnifique, une fresque plus qu'un simple gribouillis sur un trottoir. Le beau temps n'allait pas durer, si bien qu'il aurait disparu d'ici le soir. Mais ce n'était pas grave. Elles avaient toute la vie devant elles pour en refaire un autre.

Libby se redressa et s'essuya les mains sur son jean.

– May ?

– Ouais ?

– Tout va rentrer dans l'ordre, pas vrai ?

May hocha fermement la tête.

– Bien sûr. C'est même déjà le cas.

– Plus ou moins, corrigea Libby, les yeux brillants d'inquiétude. Tu sais, j'ai toujours voulu aller au Japon... mais maintenant que je pars... comment je vais faire ? Je ne parle même pas japonais ! Et puis... et si ma grand-mère ne m'aime pas ?

– Elle va t'adorer. Vous êtes de vraies ninjas, toutes les deux.

– C'est raciste, ce que tu dis, fit Libby en lui jetant un morceau de craie.

May le lui renvoya.

– C'est toi qui as fait référence à ça dans l'histoire.

– Je sais, je sais. Je plaisante. Enfin, pas pour le Japon.

– Mais ce n'est que pour deux mois, non ?

Libby ramassa un autre bout de craie, qu'elle fit tourner entre ses doigts.

– C'est ce qui est prévu. Mais je n'ai plus d'autre famille. Papa et maman ont disparu. Maman avait une sœur, mais je ne l'ai jamais rencontrée. Elle sera chez ma grand-mère, je verrai si elle est cool ou pas. Je ne sais pas comment ça va se passer. Je ne sais pas comment on va faire pour communiquer, si on va s'apprécier...

– Ça va être génial, affirma May.

Franchement, de son point de vue, du moment que Libby était en vie, tout était génial pour toujours et à jamais.

– Tu vas faire connaissance avec la famille de ta mère. Et puis sinon, de toute façon, tu peux toujours habiter avec moi. Où que je sois. Papa a déjà dit que c'était d'accord et, si ma mère bronche, j'irai vivre chez mon père. Tu vois ? Tu as le choix. Tu peux faire ce que tu veux.

– C'est bien ça, le problème : je ne sais pas ce que je veux. J'ai passé tellement de temps à vouloir être libre, tout simplement. Et maintenant, voilà, je suis libre. J'ai passé tellement de temps à espérer te retrouver et reprendre ma vie. Et maintenant, voilà, je t'ai retrouvée et j'ai repris ma vie.

– Enfin, plus exactement, c'est moi qui t'ai retrouvée.

– Oh, la ferme !

Libby sourit de toutes ses dents.

– Tu vois ce que je veux dire... Maintenant, je fais quoi ?

May réfléchit un moment. Elle prit un bout de craie jaune et traça une petite spirale sur le trottoir.

– Maintenant... maintenant tout le reste... tout le reste de ta vie peut arriver. Tu vas reprendre les cours, puis poser ta candidature à l'université. Tu iras sûrement à l'université de Washington parce que c'est là que je vais aller. Et tu voudras partager ta chambre avec une coloc' qui ne te rend pas dingue.

Le sourire de Libby vacilla légèrement sans disparaître.

– Tu as toujours su raconter les histoires.

– Et prédire l'avenir, tu te souviens ? Par contre, je ne sais pas mentir, avoua-t-elle. Il faut t'y faire.

– Continue, je suis tout ouïe.

– D'accord. Alors voilà, on aura toutes les deux un petit boulot genre… on verra bien. Si on ne gagne pas assez pour prendre un appart hors du campus, on pourrait habiter chez mon père. Il n'est presque jamais là, de toute façon. Je ferai des études de littérature et toi d'arts. On se remettra à écrire *Princess X* ensemble, on pourra même faire un peu de pub sur Instagram… ou bien créer une ligne de produits dérivés.

Tout à coup, May fronça les sourcils.

– Y a des gens qui se font beaucoup d'argent sur le dos de Princess X alors que ça devrait aller dans nos poches. Ou les tiennes, tout du moins. Ils exploitent tes créations.

– En général, ce sont juste des fans qui copient, tu sais, tempéra Libby. Personne n'a vraiment gagné une fortune, c'est juste pour le fun.

– Pour le fun, d'accord. Mais vendre des autocollants, des badges et tout, ça, non.

– Tu devrais peut-être faire des études de droit, plutôt. Tu pourrais être mon avocat

May prit l'air pensif et acquiesça.

– Ouais, pourquoi pas. Je pourrais rédiger des plaidoiries épiques ! Et faire fermer les sites qui ne me plaisent pas. Ensemble, on pourrait être les reines d'internet.

– Tu serais ma chevalière vengeresse. Ooh !

Libby lui arracha la craie jaune.

– Voilà ce qu'il faut à Princess X : une chevalière vengeresse.

– Tu crois ?

– Oui. Tu aurais une armure en or et une hache d'armes noire.

– Une hache d'armes noire ? Pourquoi ?

– Tout le monde sait que le noir est la couleur la plus cool ! Tu veux que tes cheveux soient comment ?

– Bah, noirs, du coup, répondit May.

– Non, roux. Tu as des reflets roux, au soleil.

– On est à Seattle. Tu peux me dire quand il y a du soleil ?

– Il y a un Walgreens au coin de la rue. On pourrait aller acheter de la teinture. Ça ferait une sacrée surprise à ton père.

– Tu es sérieuse, là ?

Libby secoua la tête, tout sourire.

– Non, May. Je ne veux te forcer à rien, sauf m'aider à finir cette histoire.

FIN

REMERCIEMENTS

Ma première incursion au pays de la littérature pour jeunes adultes fut une expérience extraordinaire de bout en bout. Je n'aurais pas pu réussir sans toute une bande de gens merveilleux, en particulier mon mari, Aric Annear, qui fut d'une patience à toute épreuve ; mon agent, Jennifer Jackson ; mon éditrice, Cheryl Klein, ainsi que la fantastique équipe de Scholastic. Mille mercis à tous, pour votre soutien, vos encouragements et vos coups de fouet quand nécessaire.

Cet ouvrage a été mis en pages
par DV Arts Graphiques à La Rochelle

Impression réalisée par
ROTOLITO
en mars 2017
pour le compte des Éditions Bayard

Imprimé en Italie